D1248621

教養愛主的第二代

附／小組使用指引

李道宏／著

教養愛主的第二代
——附小組使用指引

原著者 李道宏
出版者 美國福音證主協會
9600 Bellaire Blvd. # 111,
Houston, TX 77036 USA
www.cc-us.org
承印者 道聲出版社
10641台北市杭州南路二段15號
www.taosheng.com.tw
版　次 二〇〇六年七月初版

編　號 C072051
國際書號 0-926406-61-2

Author Jeff Lee
Pubisher Christian Communications Inc. of U. S. A
9600 Bellaire Blvd. # 111,
Houston, TX 77036 USA
www.cc-us.org
Printer TAOSHENG PUBLISHING HOUSE
15 Hang Chow S. Road See.2 Taipei, Taiwan 106
www.taosheng.com.tw
Edition First edition, July. 2006

Cat. No. C072051
ISBN 0-926406-61-2

各地發行者資料請參閱末頁
List distributors is printed on the last page.

致 謝

在此由衷地感謝父神，因爲，我的成長及家庭都成了今日的幫助。

我要感謝養育我的父母親，在他們退休之後不單與我們同住，更是天天在父神面前爲我禱告。我的賢內助——品品，總是伴我一起靈修禱告。在教養子女的路上，我們彼此學習、彼此扶持，盼望成爲明智的新世紀雙親。而最令我安慰的是家中四個兒女，就算我這個爲人父者，在凡事上不盡完全，但他們依舊以我爲傲。

著書過程中，我所牧養西北華人浸信會的弟兄姐妹，成了第一線的「實驗品」。他們的愛及鼓勵，使我能將從父神那裡領受而來的構思及理念，在講壇上淋漓盡致地表達出來。

神也藉著吳淑玲、 張以慧姊妹的幫助，使拙作得到潤飾；還要謝謝盧秀蓮、Lizzie的耐心校對和編輯。同時，感謝美國福音證主協會同工對筆者的信任，以致使全書能順利付梓。

「這些事都已聽見了。總意就是敬畏神，謹守祂的誡命，這是人所當盡的本分。」（傳道書12章13節）

出版者序

2005年底與華人福音普傳會李牧師第一次見面，聆聽他與同工們分享對第二代事工的負擔，我心中的喜悅與感動由然而生。

聖經說：「教養孩童，使他走當行的路，就是到老也不偏離。」這是每一位基督徒父母心中的願望。然而，環觀今日的世代，教養子女何等不易。社會的風氣、文化的衝擊、價值觀念的錯解、家人個性的摩擦等，使「愛主的家庭」這理想變得越來越不易達成。在教會團契與小組聚會中，經常聽到父母對下一代的教養問題感到無奈、灰心與束手無策。我們何等盼望子女個個愛主，然而現實卻並非盡如理想。原來我們正面臨一場與撒旦的拉鋸戰。

本書的出版正是爲這場戰爭所預備。今日我們是以一種袖手旁觀的心態任隨撒旦擄掠下一代的心，或是願意來到主面前把我們的家交托給全能的神？本書共十三個主題，每一個主題都是重要的提醒，需要我們付諸行動，使主的愛與生命栽種在每一個家人的心中。

我們很高興與華傳第二代事工一同配搭出版此書。本書除了個人閱讀與行動篇外，更把十三課小組使用指引附於書後，鼓勵小組分享經驗與彼此代禱，相信透過教會群體的使用，更能帶出教會對第二代事工的關注。

願我們盡最大的努力，教養出愛主的第二代。

陳蓮香
美國福音證主協會總幹事

序

十四歲那年，我和妹妹跟著母親來到美國，雖然父親已為我們安頓好一切，但是當我們面對一個完全陌生的新環境，以及隨之而來的文化衝擊時，我開始思想——到底神在我生命中的計劃和目的是什麼？

我算是所謂的第一代半移民，有幸能在東西方文化之間來回穿梭。說穿了，我們就是那些說話、思想、動作、甚至作夢都是用英語的一群，但細聽仍有中國腔的痕跡。沒錯，我能輕易的跟美國人混熟，明白也認同他們的邏輯和幽默，甚至解讀他們的心境。但是黃皮膚之下的心靈深處，我知道自己的思想既不全是中國人；也不全是美國人。或許，這就是神的心意，祂將我擺在這樣的環境裡，好讓我以獨特的身份來寫這個主題。

二十世紀末，我經常有機會應邀到各地的青年座談會和教會的退修會演講。因著我個人這些年的事奉及家庭背景的關係，發現了自己的恩賜是「對第一代，我就成為第一代；對第二代，我說話就如同第二代。」我漸漸明白神在這樣的環境中，造就了我服事第二代青少年的異象。

2004年，我有兩個星期在中非的盧安達（Rwanda）短宣。十年前的盧安達曾經歷過一場慘絕人寰的種族滅絕悲劇。走在村落裡，看見新一代的年輕人，背負著大屠殺的包袱，加上HIV愛滋病病毒的蹂躪，這一切猶如揮之不去的陰影，深深地烙印在他們心底。離開盧安達，我帶著沉重的心情而歸。自此，我立志投身第二代的事工，因他們是華人教會的新生代，無論是在教會、宣教工場、或在神的國度裡，他們都是未來的希望。

『華傳』邀請我負責帶領導第二代事工，盼望能鼓勵更多青年參與宣教。今天中國和世界各地的華人教會面對最大的挑戰就是第二代的流失，教會服事裡少了新生代回應神的呼召，也越來越少人願意加入跨文化宣教事工了。

年輕基督徒不願意回應神的呼召，該怪誰呢？韓國教會三十年來差到世界各地的宣教士數以萬計，而華人宣教士爲數卻不上一千。究竟問題出在哪兒？華人教會不缺年輕人，也不難找到品學兼優、事業有成的孩子。問題是，當第二代年輕人願意起來回應神的呼召時，身爲家長的反應是什麼？我們是支持呢？抑或攔阻？

在儒家思想和中華文化的薰陶下，華人父母早就懂得如何養育他們的孩子。但華人信徒依然不相信**最明智的做法就是單單事奉神**，教會往往在傳講事奉神的信息上顯得乏力，無法強而有力的傳達出來。我們的下一代在信仰上應該更認眞，他們應該爲自己能回應神對他們全職服事的呼召而倍感自豪。

事實上，在資訊發達的市面上，親子教養的書籍林林總總，可惜其中多半是西方的思想和理念，對華人家長而言如隔靴搔癢，摸不著養處。若要尋找專題談論「如何在不同的文化環境裡教養子女」等類的書籍更是鳳毛麟角。

本書的主旨在引領讀者返回聖經，期盼從信仰的層面來明白神對第二代的心意。讓我們一起縱覽神要對第二代說的話，以及神所賦予父母親的養育責任。因此，本書的設計不僅可供個人閱讀，更希望家長或教會領袖們能藉此書，在教會裡激起會眾的興趣，一同學習及分享經驗，並重建養育的理念。我們感謝神，因爲我們深信第二代是我們的產業、我們的未來、更是教會的未來。

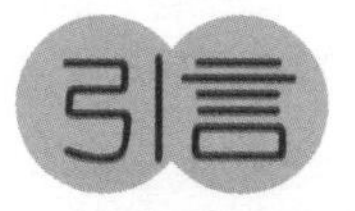

帶動孩子改變自己

與朋友們閒聊間，談及我在寫書的事。

友人問道：「你寫的是哪一類的書？」

我詳細地解釋了第二代事工的寫書計劃：「我正在著手寫一些能有效幫助父母養育敬虔愛主孩子的書。」

「那……可不會好賣喔！」其中一位坦言道。「華人父母都想讓孩子成爲能賺大錢的醫生、律師或工程師，就連基督徒也是如此！」

另一位嘲弄地說：「你想要改變現實啊？看來這位英雄想造時勢噢！」

市面上的確有很多關於：如何教養聰明的孩子、如何提升孩子的學術成就、如何讓孩子進入哈佛、如何訓練登峰造極的孩子…等類的書。這類標題的書上了架，很快地就被一掃而空。

基督徒父母也能找到很好的育兒資料，惟多半是翻譯著作，對華人父母雖有幫助，卻難免在文化上有隔閡。畢竟我們有自己獨特的文化遺產和家庭結構與關係。再者，許多書是從各學者的角度做出發點，如：溝通學、心理學、發展學等，然後再節錄一些經文作爲使用原則。若從聖經角度著眼，這些書的方法及主旨可說是本末倒置了。因此，筆者以醫生、牧師、丈夫及父親的身份，嘗試從聖經中去探索：**神如何要求祂的百姓教養世世代代愛主的子女**。

著眼改變孩子的生命從改變自己開始。祈求神與我們同在，讓教會和我們能更清楚地明白神對父母及孩子的心意。惟有明白神的旨意，我們的事奉才會有果效，我們的養育目標才會正確。神也按祂所應許的，多而又多地祝福我們的下一代，讓每位父母親成爲造時勢的英雄。

目錄

1
美麗與祝福的起點

已是黃昏，成群的海鷗翱翔在奧勒崗州的海岸上空。

將沉的落日籠罩著無垠的沙灘；徐徐的海風輕輕吹起濃濃的記憶，我不禁地將沙灘上塗鴉戲鬧的孩子喚了過來。

「孩子們，靠過來。我想告訴你們一個小秘密。」他們好奇地拉長耳朵靠了過來。

「這裡就是爸爸媽媽的定情之處。」我一邊說；一邊找出那記憶猶新的位置。

「二十三年前，媽咪在這裡接受我的求婚。她不但答應成為我一生的摯友，並且願意生養我的骨肉，做我孩子的母親。」

「你怎能確定就是在這一處呢？」望著這片無際的海灘，兒子們不可置信地問。

我望向妻，她也正定睛看著我，她那無怨無悔的眼神依舊沒變。我們輕輕地交換了眼神，在淺淺的微笑裡讓我更加肯定──就是這裡。

這裡是我們美麗的起點。

或許始於一個含情默默的眼神；或是一個令人難以抗拒的笑靨，男孩與女孩自此互許一生，共創家庭，彷若童話故事一般，只願白頭偕老。像所有的婚姻一樣，我們也有一個美麗的起點。然而現實生活中，到底有多少恩愛夫妻能夠持守起初的美麗到老呢？是的，神在創世時設立婚姻，這一切的美麗都在祂的計劃與藍圖裡。只是我們將藍圖失落了，以致於無法實踐祂的目的，到底這個目的是什麼呢？

萬物蒙福之本

起初，神照著祂自己的形像造男造女。聖經說，在神完美計劃中，最高目的就是將祂所有的福氣賜給祂所造的這對夫婦，並且與他們分享一切屬祂的榮耀和好處；不單如此，也要賜福他們世代子孫。神希望所造之人為祂管理天地一切，祂最主要目的只有一個——就是祝福世世代代的人。

神說：「我們要照著我們的形像、按著我們的樣式造人，使他們管理海裡的魚、空中的鳥、地上的牲畜和全地，並地上所爬的一切昆蟲。」神就照著自己的形像造人，乃是照著他的形像造男造女。神就賜福給他們，又對他們說：「要生養眾多，遍滿地面，治理這地，也要管理海裡的魚，空中的鳥，和地上各樣行動的活物。」（創世記1章26-28節）

許多基督徒信主多年後，始體會神祝福的長闊高深，才瞭解神恩典的意義。無論我們是什麼身份或地位，神的祝福總是白白

地賜下。然而，大多數的基督徒只曉得星期天上教會——因爲，星期日才是「主日」。但我們忽略「神的祝福」，祂不單只要祝福我們一家、我們的孩子與孩子的孩子；神更祝福我們整個家族直到萬代。

神的心意與祝福豈只一代

神創造人的目的與心意，就是要與祂所造的人建立親密關係，這不僅屬於亞當夏娃那一代，也是他們之後的世世代代。同樣地，當我們與神建立良好的關係之後，神所希望的不是只有我們這一代能認識祂，神更盼望子子孫孫能認識祂。換言之，如果只有我們這一代相信耶穌基督，那麼下一代呢？我們的孩子若流失了，這將是我們生命中最大的遺憾與悲劇。有人說：「沒有下一代，就沒有教會。」(Church is only one generation away from extinction.)如果教會沒有培養下一代基督徒，那麼我們就枉廢神託付給教會的大使命。

神創造人的目的與心意，就是要與祂所造的人建立親密關係。

更何況孩子是神所賜的產業，我相信所有在世的產業都會隨時間過去與消逝；但是，惟有孩子的生命——孩子的靈魂可以存到永久，因爲孩子是神賜給我們**永恆的產業**。

若要保有這樣的產業，唯有今日的澆灌與栽種。

在詩篇，詩人透過詩歌的描寫，爲我們勾畫出一幅神的心意與藍圖：神世世代代的祝福臨到我們身上，而子子孫孫也就因此蒙神的祝福，過討神喜悅的新生活。

「願耶和華從錫安賜福給你！願你一生一世看見耶路撒冷的好處！願你看見你兒女的兒女！願平安歸於以色列！」（詩篇128篇5-6節）是的，這就是神的心意。不過，在這個祝福的背後有一個**屬靈的約定**——是給所有相信祂與敬畏祂的人。

接受耶穌爲個人生命的救主，這是得神祝福的先決條件。初期教會開始，使徒們就明白這個屬靈約定：「眾人聽見這話，覺得紮心，就對彼得和其餘的使徒說：『弟兄們，我們當怎樣行？』彼得說：『你們各人要悔改，奉耶穌基督的名受洗，叫你們的罪得赦，就必領受所賜的聖靈；因爲這應許是給你們和你們的兒女，並一切在遠方的人，就是主我們神所召來的。』（使徒行傳徒2章37-39節）

在舊約，敬畏耶和華、遵行祂道的人，這些義人的後代得蒙神的祝福。同樣的，在新約也再次強調，救恩不只是給一人，而是要給全家，甚至是在他們家中爲奴的，也要因此蒙祝福。

有位美國作家，瑪瑞琳・希刻(Marilyn Hickey)曾做過幾個家族調查：其中一位被神所重用的僕人名叫強納森・安德華滋(Jonathan Edwards)，他非常愛主，並且與一位敬虔的姊妹結婚。這個調查追蹤他的一千三百多位子孫；調查中發現，有二百九十五位是大學畢業，而其中十三位成爲大學校長，還有五十六位成爲大學教授，三位成爲美國的參議員，三位成爲美國的州長；另外，三十位子孫成爲法官，一百位律師，而其中一位成爲美國著名的法學院院長。

他的子孫中，另有五十六位是開業醫師，其中一位當了醫學院院長；七十五位成了軍官；一百位著名的宣教士、作家和牧師。子孫中也有八十位成了美國政府官員，三位是大城市的市長，有一位還擔任過美國財政部長，另一位曾任美國副總統。這樣的調查顯示神不單只祝福強納森・安德華滋，也祝福他世世代代的兒孫。

敬虔後裔得賞賜

聖經說：「他的後裔必得拯救」，也會得著世界上最寶貴的賞賜。神不單恩待義人；還有他的萬代子孫，這是祂的應許。當我們願意過著討神喜悅的生活時，這便是選擇神恩典的道路。

也許有人反對，義人怎會有如此的特權或優待，豈不是太不公平嗎？然而，神有絕對的主權，神說：「我要恩待誰，就恩待誰；要憐憫誰，就憐憫誰。」(出埃及記33章19節)神也在十條誡命中說：「愛我守我誡命的，我必向他們發慈愛，直到千代。」(出埃及記20章6節)愛神、守神誡命的就是義人，神會對義人的後代發慈愛，施予特別的關心與憐憫。身爲父母親的，你也可以像強納森・安德華滋一樣，成爲美麗與祝福的起點。試問還有什麼比神的祝福更好的呢？

近代宣教之父威廉克理(William Carey)，他爲神的國度在印度工作了四十一年，從未回英休假。當他的兒子菲利克斯(Felix)被政府指派前往緬甸當大使時，他並沒有感到自豪，反而寫信給眾人說：「請爲我的兒子菲利克斯禱告，他本應獻上一切服事萬王之王的，現在他將成爲英國政府駐緬甸的大使。」爲此，他覺得惋惜。

爲人父母的你，對於自己的孩子有什麼期望？我們總是希望兒女青出於藍；而甚於藍。但是在服事主及愛主上面，你是否也期待他們甚於藍呢？你願意他們服事神比你還要多嗎？

上帝對你的家族有特別的計劃與藍圖，祂不單只祝福你，也不只祝福你的第二代，祂還要祝福你的後代。神要將這樣的藍圖交在你手中，盼望你是那位實踐計劃的美麗起點。

立定心志

從此以後，你的名不再叫亞伯蘭，要叫亞伯拉罕，因爲我已立你作多國的父。我必使你的後裔極其繁多；國度從你而立，君王從你而出。我要與你並你世世代代的後裔堅立我的約，作永遠的約，是要作你和你後裔的神。我要將你現在寄居的地．就是迦南全地，賜給你和你的後裔永遠爲業，我也必作他們的神。」神又對亞伯拉罕說：「你和你的後裔必世世代代遵守我的約。你們所有的男子都要受割禮；這就是我與你並你的後裔所立的約，是你們所當遵守的。」（創世記17章5-10節）

當神揀選亞伯拉罕時，我們震驚於神賜給他的應許與祝福何其浩大。神的祝福不是在亞伯拉罕有生之年能看得見的，而是在遙遠的未來，這些都一一實現在他後裔的身上。亞伯拉罕如何與神立約呢？爲何亞伯拉罕能夠代替孩子與子孫與神立約呢？當然這是不可能的，這完全是神主動的恩典及憐憫。神主動向亞伯拉罕施慈愛與他立約。神對亞伯拉罕說：「我要作你和你後裔的神，你和你的後裔必世世代代遵守我的約。」

的確，我們都希望自己的家庭得到神的祝福；但是沒有一個人能保證我們的孩子將來繼續跟從主，因為孩子也有自己的自由意志去選擇。因此，為人父母者，只有在養育孩子時以身教及言教來引導他們。

神創造　人教養

當神創造第一個人類時，祂可以輕易複製出許許多多的個體，但神卻只創造了一男一女。先知瑪拉基時代，以色列人在婚姻上不遵守神的律法，動輒以各樣的藉口離休糟糠髮妻，因此先知寫下神對當時婚姻制度的指責與控告。有趣的是，先知瑪拉基立論的出發點卻是：「雖然神有靈的餘力能造多人，他不是單造一人嗎？為何只造一人呢？乃是他願人得虔誠的後裔。所以當謹守你們的心，誰也不可以詭詐待幼年所娶的妻。」(瑪拉基書2章15節)

是的，神絕對有能力創造出更多的人，但是祂沒有。祂只創造一個亞當和一個夏娃，祂希望由亞當和夏娃孕育教養出敬虔的後代，再由他們的後代將這份恩福世世代代承傳下去——神的心意就是要賜福每一代。神願冒這樣的險，把教養後代的責任交給人，要求基督徒父母教養下一代成為敬虔的後裔。英文「敬虔後裔」的原意就是「神的種子」(the Seed of God)，孩子是因著父母婚姻結合而來的，因此，神也將敬虔後裔的期望放在婚姻裡，期盼父母透過適當的照顧與教導，以神的原則來培養敬虔的下一代。

想一想，神將生養與教導敬虔下一代的責任，安放在家庭裡。以現代生產線上的理論來說：**這是冒險的**，因為失敗機率太高了。保險的做法應該是大量生產，以降低失敗的風險。基督徒父母親似乎沒察覺，神把這樣的責任留給我們，婚姻家庭的目的與責任不只是傳宗接代而已，更是要知道神成為世世代代的神。而我們的責任是作祂敬虔的子民，願意按照聖經的教導教訓孩子，培養一代接一代的敬虔後裔。

閱讀完本章之後，願神幫助我們，不只在知識上認識祂是世世代代的主，也能夠以接下來的行動回應神。

行動篇——小小的行動，帶來世世代代的祝福

❤心存感恩

每一個人對孩子都有預設的期望，讓我們試著先把期望放下，觀察孩子有哪些長處及優點，爲此感恩，也要爲與孩子的關係感恩。你知道孩子的屬靈恩賜是什麼嗎？讓我們爲這些恩賜來感謝神。

📖學習經文

「所以弟兄們，我以神的慈悲勸你們，將身體獻上，當作活祭，是聖潔的，是神所喜悅的；你們如此事奉乃是理所當然的。不要效法這個世界，只要心意更新而變化，叫你們察驗何爲神的善良、純全、可喜悅的旨意。」(羅馬書12章1–2節)

這段經文不僅可用來爲孩子禱告，也可用來作爲父母親的禱告。我們是否願意將身體獻上當作活祭？求神幫助我們知道祂的旨意。

☺親子討論

找時間與孩子聊聊他崇拜的偶像或明星，原因是什麼？和孩子討論他的自我形像，他是怎麼看自己的？他知道自己有神的形像嗎？

✈實際行動

如果只剩二十四小時可以活，我會想要做什麼？爲什麼選擇這樣作呢？

✞禱告回應

我願意爲著孩子與子孫來禱告，如何提醒自己每日持續不斷爲此禱告？

第二代是我的責任，教導使他們敬虔是最重要的責任。自己也要敬虔愛主，樹立好榜樣。求神助我看重孩子屬靈生命，學習如何更好地影響他們，並常爲此迫切禱告。

讓子女看到自己有靈修和敬拜的生活，也能提醒他們這麼做。求神助我們夫婦同心，共同努力於孩子的屬靈教導。

✎我的禱告

2
教養的立場及原則

「唉啊，牧師！時代不同了！資訊科技這麼發達，孩子們也越來越精明了！」我的會友在一群朋友前如此訴苦。

「孩子小時候是被我們抱著來教堂；現在他們長大了，可以說是被我們拖著來教堂的。」她一邊說一邊側著頭，用手拉起耳朵，試圖將孩子被拉著耳朵上教堂的畫面搬上眼前。

鄰座的友人打插說：「我的孩子跟他們的爸爸一樣，都要用騙的，才會到教會！要能給他們一些好處才行。」

「現在孩子翅膀硬了，我那有當時的勁兒呢！他們老是說信仰自由…，現在我也管不著了。」她放下那拉著耳朵的手，讓它無耐地懸在半空中。

許多的基督教書房與禮品店裡，都可以找到寫有「至於我和我家，我們必定事奉耶和華」經文的裝飾品。是的，全家一起服事主是很美的見證，但我們是否能勉強孩子或自己的配偶上教堂呢？雖然裝飾品及擺設可以作爲家人服事神的提醒，但筆者認爲最好的裝飾品就是「見證」。

這一節經文是許多基督徒的喜愛，究竟它是在怎樣的背景下產生的呢？

舊約時代，繼承摩西的以色列領袖——約書亞，他年約一百一十歲時，將以色列的百姓聚集在一起，講述神如何拯救他們的祖先並帶領他們出埃及，以及在曠野的四十年裡，神如何供應他們；後來約書亞帶領百姓過約旦河，協助他們把迦南地的異族驅逐出去，讓以色列人安然居住在神所應許的迦南美地。

現在你們要敬畏耶和華，誠心實意地事奉他，將你們列祖在大河那邊和埃及所事奉的神除掉，去事奉耶和華。若是你們以事奉耶和華爲不好，今日就可以選擇所要事奉的：是你們列祖在大河那邊所事奉的神呢？是你們所住這地的亞摩利人的神呢？至於我和我家，我們必定事奉耶和華。（約書亞記24章14-15節）

約書亞要求百姓在他的面前，爲他們個人和家人在神面前立下公開的誓約，他們自己與家人的後裔將來都要永遠服事耶和華。當日，約書亞就與百姓立約，並將他們的誓約以一塊大石頭立在示劍橡樹下耶和華的聖所旁邊(約書亞記24章25-26節)。

決不隨緣或順其自然

我們看到了一個很重要的原則，約書亞要求所有的一家之主要負起同樣的重任。家中老老少少無論愛主與否，約書亞都會親自給予鼓勵和幫助，也爲他們製造敬拜和事奉神的機會和氣氛。他不但讓百姓們立誓永遠服事神，還立了眾人都看得到的大石頭，以提醒這些善忘的人。在靈命的事上，約書亞**決不容許「隨緣」或「順其自然」**，只要他還有一口氣，他就會盡責使全家大小毫無遺漏地，建立健康的靈命。

也許爲人父母的會說十年河東，十年河西，今非昔比了，讓孩子隨自己的志向自由發展吧！人權至上，宗教自由，與約書亞的時代相比，別說是民情民風和習俗，就連家庭和社會結構，以及人們對服從權威的態度都大不相同。我們怎能像當年的約書亞要求以色列民一樣，要求一家之主在神面前立下誓約？一家之主又如何效法約書亞帶領一家人全都事奉神呢？然而，爲人父母的在教養的角色上，要明白自己的屬靈權柄及信仰立場。就好比海上的一艘船，當我們全家都在船上時，掌舵的責任不也就落在一家之主的肩頭上嗎？船航行的方向就在你的手中。

誰是屬靈的舵手？

根據聖經教導，家長應負起家人靈命健康的重大責任。問題是，父母之中，該由誰負全責？這個議題可能具有爭議性。對於這項議題許多人會避而不談。但是不容置疑的是，不論是基督徒父親或母親都有同樣的責任，他們必須成爲家庭中屬靈的舵手。特別是夫婦之中有一位是未信的，信的配偶也不能隱藏他或她的信仰，反而更需要成爲家中見證，並帶領家人信主。

帶領全家服事主的決定在於夫妻雙方的協議；若有配偶不信的，那麼信主的一方自然必須肩負屬靈舵手的職責。這既是一個出於自願的選擇，更是在我們信主那一刻就被賦予的責任。不該因被強迫而做，反而要學習甘心以一生來遵守，以一生來委身：使世代代都要能歸向神。

約書亞當年就明白要**全家一起來服事，不是出於一時衝動的決定，更不是出於勉強**，乃是要誠誠實實，不間斷的付上代價。所以約書亞對他們提出「要敬畏耶和華，誠心實意地事奉他」的提醒，他知道百姓們暗地裏仍有敬拜假神的行爲，因此告誡他們若要選擇敬拜耶和華神，就必須專心單單事奉祂，並且要全家一起專一敬拜事奉神。

全家一起來服事，不是出於一時衝動的決定，更不是出於勉強。

約書亞當時對以色列人的要求，跟神今日對我們所有人的要求是一樣的：每一家庭中的屬靈舵手必須在神面前立下誓約，表明願意持守在神面前所立下的心願，並且必須盡他所能，鼓勵幫助全家來服事神。

關乎生命的選擇

「牧師，能麻煩您幫我一個忙嗎？」當我開車送一位姊妹從教會回家時，她小心翼翼的問道：「能否麻煩您有空的時候，撥電話給我兒子邀請他繼續參與教會，但麻煩您不要告訴他，是我請您做這麼做。我實在為他感到憂慮，擔心他會遠離神。」

爲何一位母親如此關心孩子，害怕孩子遠離神呢？因爲她明白，神早將信與不信的禍與福呈明在我們眼前，她盼望自己的孩子選擇上好的福份。看見孩子遠離神，父母的心裡憂傷難過，不知道該如何是好時，那時我們就要求神幫助，完全的信靠祂，等候神的時間。

難道家中的孩子們沒有信仰的自由嗎？個人的自由與選擇難道就不被尊重嗎？現代的父母親如何在神面前做這樣的委身呢？

這是關乎生命的選擇，而選擇只有兩種：不是盡心、盡性、盡力地服事神；就是選擇去敬拜假神。約書亞提醒以色列百姓的同時，也喚醒了我們。當我們全心全意地服事神就能得到祂所賜的；但是，當我們選擇去敬拜偶像的時候，神的咒詛就臨到。這個選擇是很清楚的。身爲父母親當然希望全家與孩子都能得到神的祝福。所以，我們要盡力引導他們走在主的正路上。

救恩是出自神的恩典。但是接受神的恩典跟從主基督，卻是我們自己要做的重大抉擇，順服並服事敬拜神則是我們自由選擇後必須負的責任。當然，是否要負此責也是我們的決定。

耶穌又說：「所以我對你們說過，若不是蒙我父的恩賜，沒有人能到我這裡來。」從此，門徒中多有退去的，不再和他同行。耶穌就對那十二個門徒說：「你們也要去嗎？」西門彼得回答說：「主啊，你有永生之道，我們還歸從誰呢？我們已經信

了，又知道你是神的聖者。」（約翰福音6章65-69節）

許多跟從主耶穌的人，是因為想得一些好處，或因希奇耶穌所講的信息而被吸引；一旦耶穌講出扎心的話時，這些人便因著祂所傳講的「過份激烈」，紛紛離祂而去。

全家參與划槳

雖然我們被揀選是因神的恩典，但跟從主服事主卻是個人的決定，所以全家一起服事也是如此。神賜給父母屬靈權柄，我們既然決定信靠主耶穌；那麼自己又怎麼可能撇下孩子不管呢？全家的信仰及屬靈的生命就像划船一樣，要有同舟共濟的信念。我們都向著永生之路前進，父母是掌舵的，負起方向的重任；但整個過程裡，每個家庭成員都一起參與划槳。

一旦我們立下誓約，要帶領全家服事主，那麼下一步呢？

在聖經原文，服事與敬拜是同一個字。這裏所提及的**「服事」，絕不單單指著「上教會」、「參加聚會」之類的**，其實加入教會的會友，有時可能連聚會都不參加，僅僅奉獻而已。然而，神所要求我們的是「眞誠地，按著眞理事奉祂」，就是沒有任何其他的偶像及不良動機；而是一心一意認定神是生命的主宰，祂值得我們獻上自己來服事。

「你們現在要除掉你們中間的外邦神，專心歸向耶和華以色列的神。」（約書亞記24章23節）

主耶穌也向井邊打水的撒瑪利亞婦人如此解釋，因爲她誤以爲服事主是祖先所留下的傳統，或是能得到好處的宗教行爲。所以主耶穌糾正她的錯誤說：「神是個靈，所以拜祂的必須用心靈和誠實拜他。」（約翰福音4章24節）

屬靈的影響力

在新約時代，信主是一家緊接著一家的。當時，若一家之主先信靠主耶穌，他的信心就會影響全家人對耶穌的認識，以至受洗歸主，並且全家服事神。

我們也記得彼得如何與哥尼流和他的家人分享福音，結果他們一家人都相信主耶穌，全家受洗歸主(使徒行傳10章47-48節)。另外，該撒利亞有一個人名叫哥尼流，是「義大利營」的百夫長。他是個虔誠人，他和全家都敬畏神，多多賙濟百姓，常常禱告神（使徒行傳10章1-2節）。

使徒保羅和西拉被關在監牢時，管監獄的禁卒看見他們沒有逃跑，後來他和他的全家都信了主。

又領他們出來說：「二位先生，我當怎樣行才可以得救？」他們說：「當信主耶穌，你和你一家都必得救。」他們就把主的道講給他和他全家的人聽。當夜，就在那時候，禁卒把他們帶去，洗他們的傷；他和屬乎他的人立時都受了洗。於是禁卒領他們上自己家裡去，給他們擺上飯。他和全家因爲信了神，都很喜樂。（使徒行傳16章30-34節）

全家信主受洗一起服事，新約屢見不鮮。有時一家蒙恩得救，是從主人帶領妻兒開始；有時從家中的僕人起。今天的一家之主爲什麼沒有如此屬靈的影響力？提出這個問題之前，讓我們先歸納這幾位主人的共同點——他們敬畏神、有好榜樣及好名聲。反觀我們自己呢？爲什麼我缺乏影響家人的能力？想想自己是否在禱告及行爲上有不足之處。但願這不是個控告，而是成爲我們每個人的鼓勵。

按聖經原則，全家歸主及在家庭裡擁有屬靈影響力，是教會領袖必備的基本條件。單單自己屬靈愛主是不足夠的；我們要以生命來影響生命。保羅論到成爲教會領袖的條件時，他認爲不論是監督或執事，都要能夠管理自己的家，使兒女凡事端莊順服，這才是一個屬靈領袖所要必備的先決條件(提摩太前書3章4節)。這裡提到的「兒女能夠順服」不是指表面良好的行爲或是沒有犯法而已；而是能夠與父母親有同樣的信仰，同樣以心靈誠實順服父母和順服神。這樣的順服使他們在教會中有實際服事的參與，並且能夠成爲教會中、同儕中、甚至是其他會友的榜樣。

總而言之，帶領全家服事主是一家之主的責任，也是成爲教會領袖的條件之一，這更是神的心意。

勿讓生命成為遺憾

我呆坐病床旁，再也説不出一句安慰的話語。房裡的護士來來回回地調整加護病房內的維生儀器。躺在床上的是一個年少秀麗的女孩，十四歲的她在病床上已昏迷一個星期。

她的母親陪伴在房裡輕撫寶貝女兒的手，她將那冰冷的雙手握得緊緊的，並不時低頭親吻，生怕女兒會悄悄地溜走。

「女兒，聽得到我說話嗎？聽得到嗎？…」她不斷地呢喃，句句聲聲痛徹心扉。

「如果神讓你醒過來，媽媽保證，絕對不再逼妳彈鋼琴，不勉強妳功課拿A，不成為醫生也沒關係，妳可以做自己，做神要成就妳的事！可以做自己想做的！…」

如果她的女兒能夠聽到…

人生的際遇起起伏伏，有些風浪是我們無法掌握的。這些經歷可能成爲我們的功課，讓我們成長與學習。但是，到底有多少事像上面這則故事一樣，讓我們來不及學習，反而成爲遺憾呢？

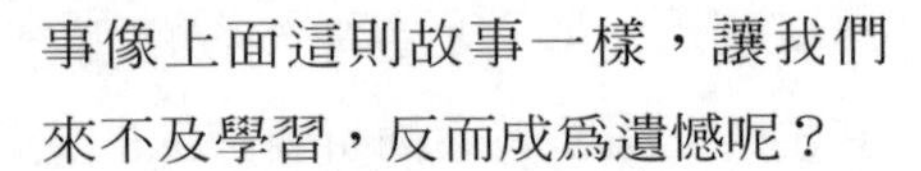

孩子在其他方面都有成就，卻不能愛主及事奉主，這才可能是基督徒父母最大的遺憾。

帶領青少年走過可怕又漫長的叛逆時期，所需的經驗可能讓你可以用來寫成一本書。在這段最狂亂及風暴時期，我們也要學習與孩子一起走過。重要的是，父母親必須起來承擔這沉重且神聖的責任，帶領全家一同敬拜事奉主。

爲人父母的，有個重要的意識，這個意識是要許下終生的誓約及一生的禱告承諾。這關乎時間和精力，甚至金錢上的消耗和投資，爲的是教育我們的孩子如何敬畏神、愛神及順服神的旨意。這也是一個漫長的旅程，如上一章所提，孩子不但是我們一生的產業，更是我們永恆的產業，他們值得我們用畢生的一切去經營。因此，父母親必須學習放下身段，常保持謙卑，持續不斷地向孩子敞開自己，設法拉近親子距離，使每一分努力都能得到豐富的回報。當然，最重要的是要合乎聖經眞理之法。

基督徒父母最大的喜悅不全然只是兒女的成就；而是看到他們在神的祝福中眞摯的敬愛和事奉主。反之，若**孩子在其他方面都有成就，卻不能愛主及事奉主，這才可能是基督徒父母最大的遺憾呢**！你看到其中的不同嗎？

神的心意是要成爲我們世世代代的神。祂所悅納的不只是單單我們這一代敬拜服事祂，而是祝福我們全家人的服事，祂更應許祝福服事祂的人。「至於我和我家，我們必定事奉耶和華。」這不只是約書亞的誓約，盼望也成爲所有基督徒家庭的誓約。我們該如何激勵自己的家庭，持守這一份與約書亞同樣的心志？我們可以用以下的方式來回應神的教導。

行動篇——小小的行動，帶來世世代代的祝福

❤心存感恩

不應將孩子相互比較。父母應當常常欣賞及讚美孩子獨特之處，爲著神所賜的特長及與眾不同的優點來感恩。

📖學習經文

「堅心倚賴你的，你必保守他十分平安，因爲他倚靠你。你們當倚靠耶和華直到永遠，因爲耶和華是永久的磐石。」（以賽亞書26章3-4節）

身爲父母親的，必須求神讓孩子不被惡者所擄掠；也不被世界來引誘，而陷入網羅。求主保守他們每日進出平安：當他們在運動、工作、求學時，都能有神的同在。

☺親子討論

與孩子討論現今流行的趨勢，引導他們明白什麼才是眞正的美麗。對男孩而言什麼是內在美，在他們的眼光中，內在美與外在美，何者重？何者輕？從女孩的觀點而言，他們最看重的是什麼？

✈實際行動

與孩子來分享信仰。如果他們已經受洗，與他們談論如何落實每日的靈修，委身於主的生活是什麼；如果還沒受洗，向他們講解救恩的意義，求神使用我們去帶領他們做認罪禱告，讓他們接受主耶穌爲個人的救主。讓家人知道，我每天都爲他們禱告。

✞禱告回應

求神幫助我立下重要的決定。從今天起做三件事情，爲的是讓家人知道自己希望能夠帶領全家一起服事神的心願，同時也要詢問家人的意見，全家該如何在教會中來服事神。從今日起求神建立我成爲家中的屬靈領袖。

求神助我，更新我對信仰的認識，和對神的事奉心志，並把神放在我生活中的首位。求神助我重新調整我的價值觀，看重自己和家人與神的關係，甚於屬世的一切得失成敗。讓我時刻謹記：敬拜事奉神是絕對性、也是關乎生命對錯與得失的選擇，好叫我因此更重視對兒女在信仰上的教導。

我願從今爲孩子們和家人禱告求神常引領，並讓他們知道我對此的認眞和決心。我要開始建立家庭的祭壇，帶領家庭崇拜，塑造愛主、屬主、事奉主的家庭。求神讓我看見全家事奉神的祝福。

✎我的禱告

3

屬靈單親的教養隱憂

有位姊妹分享說：「在我家，媽媽信主，爸爸不信。在教會裡，我並不是特例。許多靈命很好，又熱心參與服事的女性長輩的另一半也非基督徒。週日爸爸想要帶全家出去玩，但我們要去聚會。媽媽在教會有事奉，太過投入教會服事時，爸爸也會有異議。後來他開始認同我們，也慢慢接受基督教信仰，願意跟我們去教會…」

屬靈的單親

教養出虔誠的後裔是神託付每一對基督徒父母的共同責任。但在許多信徒的家庭中，這項任務往往單獨落在其中一方的肩上。我所指的「屬靈單親」其中一種是因爲移民、工作、與子女就學需要等原因，夫妻長期分隔兩地，使得教養子女責任大部份落在其中一方；另外一種情況是，家庭中父母只有一方是基督徒；還有即使夫妻雙方都是基督徒，實際上卻只有一方明白重生得救的意義，願委身事奉。

所以把「屬靈單親」定義擴大後，我們立刻發現，在教會裡有許許多多的家庭都屬於這個範疇。其實並不是每一個家庭都在週日全家一起到教會，也不是吃飯時全家一起禱告的，許多基督徒父母也不知道如何遵循聖經的原則來教養孩子。因此，我欲從聖經的角度來探討，屬靈單親與教養敬虔後裔的關係與責任。

單親的父母更需要依靠神，讓祂親手扶持。

如果夫妻中只有一人能夠擔起教養虔誠後裔的責任，那麼聖經是如何看待這些父母的角色或身分？對於他們的責任，神的期待是否就比較少些？身爲屬靈單親家庭的父親或母親，能夠從神得到安慰和幫助嗎？事實上，**單親的父母更需要依靠神，讓祂親手扶持**。

使徒保羅清楚知道，初期教會的外邦信徒信主之後，配偶可能還不是基督徒，因此日常生活中的思想和行爲產生很大的差距。保羅因著聖靈的感動，加上自己也是以單身身份傳道，使得他能諒解和體恤那些外邦信徒的獨特遭遇與難處。保羅知道「屬靈單親」在教養虔誠後裔的問題上困難甚多，但這並非不可能。

從聖經角度來看，神並沒有因爲某些人是單親，就降低對他們在教養子女上的要求。神仍然要每個人都教養敬虔的後裔。神明確地教導我們：

妻子有不信的丈夫，丈夫也情願和她同住，她就不要離棄丈夫。因爲不信的丈夫就因著妻子成了聖潔，並且不信的妻子就因著丈夫（原文作弟兄）成了聖潔；不然，你們的兒女就不潔淨，但如今他們是聖潔的了。(哥林多前書7章13-14節)

解釋這段經文之前，必須瞭解這段經文寫作的背景。當時的羅馬帝國，所有孩子從懷孕到出生，由搖搖擺擺學走路開始的每一個階段，都已經奉獻給許多不同的神明照料。這些神明各司其職，如安胎、保佑孩童一生……等。換言之，當時每一個孩子甫出生，就已經被自己的母親獻給某一位不知名的神明。所以保羅在這裡所謂的「每一位外邦人都不聖潔」，是因爲每一個孩子在出生時就已經被獻給假神。從屬靈的層面來說，他們是屬於這些假神的孩子。

聖潔的子民

若父母之中有一位成爲信徒，加入教會之後，就意謂屬靈國度中有一件奇妙的事情發生，就是孩子已經被神分別爲聖了。因爲父母之中有一人已經歸於主，他是潔淨的，也是承續神聖潔的血統。所以，他的後裔就不再屬於其他的假神明，而是屬於神。

分別爲聖的定義是獻給神、屬於神，並且可以爲神所使用。雖然許多神學家都在爭論這一段經文的意義究竟是什麼，但保羅在這裡所強調的是：一個人能夠得救完全是神的恩典，而不是靠著行爲(羅馬書11章6節)。所以若父母中間一人信神，也使自己的子女因著父母而得到神的恩典，成爲聖潔。

這一段經文給父母極大的安慰，特別是單親的家庭或者是家中只有父親或母親一方是信主的。**因著他們的信心，神也把他們的孩子看爲特別**，視爲寶貴。我們知道「爲神教養虔誠後裔」這項神聖的責任，雖然看起來是由我們獨自來擔負，但神卻在其中與我們同工，爲要成就美事。爲人父母決不能放棄這樣的責任和機會。

許多屬靈單親父母心裡常有歉疚：認爲自己的孩子是無辜的受害者，因爲他們不能在一個完全基督化的家庭長大。但是神因著夫妻中有一人信主，孩子就被分別出來看爲聖潔，就會蒙神祝福。

屬靈單親的壓力與孤單

有位結婚已三年的姊妹曾分享說：「每當我在教會看見夫妻一起服事主的場面，我會不自覺地暗自流淚……你不知道我內心是多麼羨慕他們，多盼望自己的先生能全力支持我，在教會一起服事。」

「但是……」她繼續說，「我知道，我要等待，這是神要教導我忍耐的功課——要等待先生改變。過去三年我學到的是『有困難並不代表不可能』。神提醒我回到祂面前禱告與等候，並且在現有服事中帶出有果效的事奉。」

屬靈單親父母教養敬虔下一代時，有特別的難處與需要。他們幾乎很少從教會或社區中得到必需的幫助，特別是在典型的華人教會與團契中。大家強調的是夫妻婚姻美滿，全家和樂融融，隱惡揚善，家醜不可外揚…因此屬靈單親的需要是不易被理解的。

因爲沒有雙親角色的平衡，屬靈單親在子女教養上會遭遇較多困難，特別是在遵照聖經原則替孩子的要求與行爲設立明確的界線，以及建立一套良好的生活規範時。當他們遇到阻礙，屬靈單親最大的試探是——放棄管教孩子，讓孩子隨心所欲。許多**屬靈單親父母需要身心靈時時更新，但他們幾乎沒有多餘的空間去反省及調整。**

屬靈單親父母需要身心靈時時更新。

總而言之，屬靈單親管教孩子有許多的難處，尤其是在離婚的家庭中。一般華人教會較少同情理解這些信徒家庭，也甚少有能力提供有效的幫助。在這方面，教會必須因應時代需要積極改進，盡心地幫助屬靈單親的家庭，特別是回應他們各自特別的需要。

屬靈單親父母必須建立有恆的禱告生活，更深地親近主，由主那裡得到安慰來對抗經常性的孤單與無助。一般雙親家庭在教養下一代時，夫妻可以彼此勉勵相互扶持；但在屬靈單親家中的父母卻得不到如此支援，很容易被疲累與挫折擊倒。因此教會有責任提供他們實質的幫助和訓練。

屬靈單親父母如何在困難的環境中看見神的手，這的確不是件易事；然而在教會的弟兄姊妹或是屬靈的長者，也必須更加敏銳地幫助他們走出瓶頸。

負起屬靈教養的責任

許多屬靈單親覺得自己很可憐，對子女感到虧欠，常常在與孩子聊天談話時，不經意地說出「我對你們感到很抱歉，因爲你們沒有信主的父親或母親，在與教會裡一般家庭不太一樣的環境下長大。」但是屬靈單親的基督徒父母親，不應該只是專注於自己的不足。在孩子的屬靈教導上，單親基督徒父母反而應該勇於承擔更多的責任，在孩子成長的過程中，注入更多屬靈的影響力。聖經中提摩太的屬靈單親，就是最好的例子。

想到你心裡無僞之信，這信是先在你外祖母羅以和你母親友尼基心裡的，我深信也在你的心裡。(提摩太後書1章5節)

保羅稱讚提摩太時提到，提摩太所擁有眞實、有份量、不輕易丟棄的信仰基礎，乃是由他屬靈單親的母親與祖母所奠定的。保羅並沒有提及提摩太的父親，但卻激勵我們，即使是單方面母親的教導，也能夠深深影響提摩太，爲他奠定堅固的靈命根基，塑造他成爲神合用的器皿。

此處聖經清楚地告訴我們：**屬靈單親信徒爲後代留下的屬靈影響力，是不輕易消失的，而且是持續地發揮著**。即便夫妻雙方都是基督徒，一方屬靈的影響力微弱，另一方也不應當灰心，不可以放棄神所託付教養敬虔後裔的責任。

在瑪拉基書中，神對當時的社會與世代有以下的控告；其實當時社會與現今潮流沒有太大差別，許多人雖然自稱信神，但他們的婚姻與家庭卻是破碎的。神再次宣告起初祂造人的目的，祂願人人皆得虔誠的後裔。

雖然神有靈的餘力能造多人，他不是單造一人嗎？爲何只造一人呢？乃是他願人得虔誠的後裔。所以當謹守你們的心，誰也不可以詭詐待幼年所娶的妻。(瑪拉基書2章15節)

神可以造許多的人，但卻把產生敬虔後裔的責任讓一代一代傳承下去。我們不可因爲自己這一代是屬靈單親，就放棄這項責任。所以屬靈單親們，千萬不要灰心，不要因爲挑戰大就放棄神所交付教養敬虔後裔的責任，讓我們一同來學習。

屬靈單親有許多特別的需要，尤其是在靈命上。因此教會能否提供他們特別的關懷，就更具關鍵性了。

行動篇——小小的行動，帶來世世代代的祝福

❤心存感恩

也許不是每一個人都覺得自己的婚姻是最完美的；但是，在婚姻與家庭生活中，你能找出至少三件事情來向神感恩嗎？

📖學習經文

「你們要先求他的國和他的義，這些東西都要加給你們了。所以，不要爲明天憂慮，因爲明天自有明天的憂慮；一天的難處一天當就夠了。」(馬太福音6章33-34節)

讓我們學習將心中的需要向神開口求。這不只是經濟的需要，還有情感、家中人際關係等，將種種的困難都帶到神的施恩寶座前。別忘了聖經教導我們要先求祂的國和祂的義，我們的一切所需的神都會負責。什麼是我在祂的國和祂的義上可以盡心力的呢？

☺親子討論

找機會與孩子談談心，什麼是生命中最重要的？快樂、成就、還是其他的事物呢？彼此交流一下心得。

✈實際行動

讓我們計劃在未來兩週邀請孩子的朋友來家中，即使只是吃吃喝喝、看看電視都好。嘗試認識孩子的每一個朋友，不論是學校的同學或是教會的朋友；也讓孩子的朋友來認識我們。

✞禱告回應

挪出一段時間，獨自安靜在神面前讀經禱告。重新回到神面前，建立及更新與神的關係。

爲自己能有足夠耐心與忍耐來禱告。特別當孩子在青少年期，需要更多時間、智慧與孩子們溝通。

態度是很重要的，雖然單親生活中有許多的問題，仍然可以在神面前感恩。**堅定相信我所信的神比我的需要更大，祂能解決我的困難並供給幫助**。

作爲屬靈單親，求神助我每天有毅力排除萬難與神親近。求神在我軟弱時扶持；哭泣時安慰；放棄時拉回；對孩子失職時保守他們。使我不爲自己的遭遇心懷不平，轉而看到神將藉我賜恩福於家庭和孩子而感恩。

當我感到信仰不被接納時，也許配偶和孩子覺得我背叛了他們。求神安慰他們、照亮他們的心，在他們心中動工鬆土，好讓福音的種子得以萌芽。即使身心靈疲憊，求神使我不忘祂能賜力量，讓我在家人，特別是孩子面前作好見證。

我要緊抓住神的應許：「你和你一家必得救」。不斷爲他們的救恩和靈命增長禱告，不因暫時的失敗而氣餒。

✎我的禱告

4
新世代的父親

「嗯，讓我想一下，怎麼描述我的父親呢？」朋友放下咖啡杯，皺個眉頭回答著。

「我的父親不喜歡小孩。他寧可自己一個人做他的事。他不要孩子們去打擾他。對他而言，孩子是件麻煩事！」他慢慢地說出，試圖在不愉快的記憶中拾回些珍寶。「也許這跟我太太的控告有關吧！她老是埋怨我忽略孩子，沒有和他們真正在一塊兒。」

聽了他的一番話，我自己也開始反省，內心的慚愧油然而生……

傳統華人觀念男主外女主內，父親是家裡的經濟支柱。很可惜的是，許多父親在孩子們心目中，就只是「嚴父」的形象而已。華人移民到西方國家時發現，在西方文化裡，子女跟父親的關係是很親密的，父親跟兒子一起去釣魚、打獵、打球、看球賽等。孩子漸漸長大之後，華人父親的挫折感逐漸加深，因爲父子之間的關係很疏遠。其實，在聖經中，**神已經託付父親一個很獨特的角色**，這個**角色與職責是不可取代的**，更不能夠丟給母親，這是神給予父親的責任。

在忙碌及新思想和觀念衝擊之下的新世紀，到底 e 世代父親應有什麼樣的職責呢？不妨再從聖經的角度來看，神付予父親的責任是什麼？

父親，你對孩子有什麼影響力？

父親對孩子有什麼影響力？根據報告：家裡購買貴重的東西，例如買房子、汽車、電視機、皆由父親決定；購買日常用品大多是母親決定；而購買孩子的玩具，則是屬於孩子自己的決定。教育方面，母親做絕大多數的決定。除了購買貴重的東西之外，在孩子身上，父親究竟有多少影響力？華人的傳統父親形像，是在家裡擔任「管教」的角色。許多母親在面對難纏的孩子時，常常脫口而出的是：「你再不聽話，爸爸回來就修理你！」。但是根據聖經的原則，難道**「修理孩子」是父親管教孩子的惟一責任嗎？**

當我們反覆查考神的話，我們發現，孩子的管教以及品格的塑造都是父親應負起的責任。如箴言說：

我兒，你當聽，當存智慧，好在正道上引導你的心。好飲酒的，好吃肉的，不要與他們來往；因爲好酒貪食的，必至貧窮；好睡覺的，必穿破爛衣服。你要聽從生你的父親；你母親老了，也不可藐視他。你當買眞理；就是智慧、訓誨，和聰明也都不可賣。義人的父親，必大得快樂；人生智慧的兒子，必因他歡喜。你要使父母歡喜，使生你的快樂。我兒，要將你的心歸我；你的眼目，也要喜悅我的道路。（箴言23章19-26節）

箴言書中多次提到管教孩子的智慧。從神的觀點來看，孩子是需要被管教的。孩童天生有自私、自我爲中心、習慣接受而不會給予的種種傾向。在許多方面，孩子需要父親在眞道上引導，也不忌諱用管教的方式，甚至用體罰來教導孩子。箴言書也強調，父親的責任不只是知識的傳遞，更是品格的教養、道德的培養，以自己的生命來教養他們。箴言書10章1節提到：「智慧之子，使父親歡樂，愚昧之子，叫母親擔憂。」從這節經文可見，孩子道德上的成功是父親的榮耀，當然這裡所指的不單是道德，更重要的是孩子們的靈命。

「其實我一直很想跟我父親說，可不可以不要每次坐下來聊天，就開始『訓話』。」一位正在思考未來生涯規劃的女孩，對我說出心中深埋已久的想法。

「我的父親來自很傳統的中國家庭，不論從小的生長背景或後天環境，都沒有太多機會學習表達情感。」女孩娓娓道來她與父親的關係。

「我知道他很愛我、關心我，也為我的能力與過去學業上的表現感到驕傲。當我煩惱未來時，他也替我著急，總是找機會提醒我要好好規劃未來。所以，每當和父親一起坐在客廳，他請我關掉電視，說有話跟我說時，我知道他又要舊話重提了！」

「我了解我父親對我的期待，也清楚他所替我劃出的幾張生涯規劃藍圖，並非限定我的選擇，只是希望我能有衣食無缺的生活。」女孩對我投以一抹微笑，將頭轉向窗邊，目光停在藍天中的朵朵白雲。她悠悠對我說：「但是，牧師你知道嗎？每一次"訓話"中，他都不自覺地論斷我過去所就讀的科系，或者是一些天馬行空的理想，這總讓我好想從他的身邊逃開。」

許多父親所注重的是孩子的學業及成就，往往忽略孩子的感受。在成長過程中，他們更需要的是「朋友」，一個能完全接納而不批評數算他們過去的朋友。當我們有這樣的智慧時，孩子自然喜歡坐在身旁與我們談心。若想培養「智慧之子」，為人父親首先要學習的卻是放下身段，當孩子的聆聽者。

不要惹兒女的氣

幾乎所有父親常犯的錯誤就是：管教孩子時，常常以出氣打人的方式執行。管教的時候不發脾氣，的確需要極大的智慧及忍耐。管教是必要的，但「不要惹兒女的氣」，他們對父母才不會失去信心與尊敬。反倒是藉著管教，使孩子們更珍惜父母親對他們的愛，這是每個父親都可學習的。

你們作兒女的，要凡事聽從父母，因為這是主所喜悅的。你們作父親的，不要惹兒女的氣，恐怕他們失了志氣。（歌羅西書3

章20-21節）

許多國內來的基督徒在分享中提到，他們對父親的印象是恐懼的。每次想起父親時，就會想起他的怒氣；甚至是酒後失去控制、毒打、虐待。這不僅造成他們身心靈的傷痕，更嚴重影響跟異性的交往，這是很悲哀的事。除此之外，我們更需要被提醒，孩子對天父上帝的認識，往往受父親的影響。這使得基督徒父親更加戰兢了，因爲他們所表現出來的言行舉止，會影響將來孩子與神的關係，因爲孩子是從自己父親身上投射天父的形像。

有一位朋友跟我說起他對父親的印象。

「最後一次看見我父親是在兩歲時。二十年前我曾經接到他打來的電話，現在我已經五十歲了。從小父親就不在身邊，我一直覺得自己的人生不完整，我從沒有與爸爸一起相處聊天的記憶，也沒機會認識父親。我一直偷偷地希望，如果上帝許可，至少稍給我一封爸爸寫來的信，就算有張照片都好。」。

另一位朋友和我聊到他的父親時說：「最值得我回憶的是和爸爸一起散步的時光。雖然沿路他話不多，但他會放慢腳步，讓我可以跟得上。我不僅知道他的步伐有多大，也知道他所關心的事情是什麼。」

用心的陪伴，就是你的魔法。

與父親一起散步有什麼特別的魔法和功效呢？有的！陪孩子成長不在乎講說多少話、給予多

少訓誡；而在於「心」，**用心的陪伴，就是你的魔法**。

放任的教養等同放棄

聖經裡有許多悲劇性的父親，最令人痛心的例子就是先知以利。其實，他的接班人撒母耳也如此。神對以利的控告是，他沒有好好管教孩子的惡行，任意兒子在聖殿裡對以色列人行惡，又與會幕門前伺候的婦人苟合，聖經中記載這父親遲來的勸告：

「你們為何行這樣的事呢？我從這眾百姓聽見你們的惡行。我兒啊，不可這樣！我聽見你們的風聲不好，你們使耶和華的百姓犯了罪。」（撒母耳記上2章23-24節）

我們相信，當以利年紀老邁時，已經沒有辦法用體罰來管教孩子。但是，他無奈消極的態度不只是不管教，而且是沒有原則的放任。神對以利的責備是「尊重你的兒子過於尊重我」(撒母耳記上2章29節)，這是以利的罪，以致他兩個兒子遭到悲慘的下場。他們的悲劇是所有父親的警惕。以利的下一任祭司——撒母耳，從小在聖殿中長大跟隨以利的，沒有看見自己親生父親的榜樣，當時的以利就成為他的榜樣。以利的兒子失敗，之後，撒母耳的兒子也同樣失敗。這是所有在教會參與服事的父母一大提醒，像當頭棒喝般令人心痛。

放下尊嚴道歉不難

我記得朋友說過一件最使他傷心難過的事。

小時，父親常常對他說：「為什麼你們這麼笨!」使得他從小就認為自己很笨，也讓他在成長時期覺得自己沒人喜愛，認為自己是不可愛的。

朋友的經歷是所有父親的提醒，我們所說的每一句話都會影響孩子一輩子。話語是帶有能力的，不論正面或負面，它都會影響我們的孩子。如箴言18章21節說：「**生死在舌頭的權下，喜愛它的，必吃它所結的果子。**」讓我們總是說積極及有造就性的話來建立我們的孩子吧！

父親與孩子的溝通是沒有任何人或金錢能取代的。孩子成長的時光一旦過去，所有的藉口都不能挽回。有些人強調與孩子在一起，不但要有「量」(時間、機會)，更要有「質」(能促進感情，積累回憶)。普遍看來，現代的父親是忙碌的。然而，也有許多是沈迷在電視娛樂、報章、網絡中。合神心意的父親們要刻意安排時間，更要精心設計如何與孩子共渡快樂時光。

傳統的中國父親在家有一定的地位及形像，說一是一，說二是二。但綜觀父母所犯的錯也不少。人非聖賢，不免有錯，然而最大的毛病是不立刻承認及修正，以致讓錯誤造成家人的關係出現裂痕。舊約聖經的大衛與他兒子押沙龍的溝通，就出現了裂痕。大衛在管教兒子的錯誤中，給予許多華人父親提醒：如何在處分懲罰及關係保持的兩端中取得平衡？

（大衛）王說：「使他回自己家裡去，不要見我的面。」押沙龍就回自己家裡去，沒有見王的面。…押沙龍住在耶路撒冷足有二年，沒有見王的面。（撒母耳記下14章24，28節）

大衛最心愛的兒子是押沙龍，但父子兩人卻屢屢無法溝通，也始終沒有機會彼此表達。當我們看見大衛聽到押沙龍死訊時的心情，是極其後悔。那種痛失愛子的無奈與覺悟，是所有基督徒父親的警惕。中國父母總是沒有道歉的習慣，我們覺得放下尊嚴向孩子道歉是不可能的，直等到事情無法挽回才覺悟。我們必須思考，身爲父親的大衛，如果有機會重新來過，他會怎麼做？

王就心裡傷慟，上城門樓去哀哭，一面走一面說：「我兒押沙龍啊！我兒，我兒押沙龍啊！我恨不得替你死，押沙龍啊，我兒！我兒！」（撒母耳記下18章33節）

看見大衛悔不當初的心情，我們發覺**有什麼比生命及愛更加值得執著呢？開口**向孩子道歉是不容易的，然而，父親一旦懂得說：「對不起，請你原諒我。」時，神就改變你與孩子之間的溝通及表達方式；父子之間也有更眞誠公開的關係。懂得說「抱歉」之後，你與孩子的關係不再是權威式的上對下；而是眞誠的尊敬與服從。這種關係是建立在聖經的愛上，讓我們積極地與孩子建立親密的朋友關係。

父親不可對孩子偏心

「我很討厭他們這種態度，這不只是偏心而已。」一位十四歲的女孩向我抱怨。「我的父母總是喜歡拿我和姊姊比較，雖然他們不直接說出來，但是我知道，他們心裡一直在想，為什麼我不像姊姊一樣，乖巧、聽話、每一項表現都零缺點。」

「我只是想當我自己，神按著祂的心意創造我的一切，這就是最好的。」她一邊說，一邊自豪地將自己的美術作品與圖畫拿給我看。

偏心——是天下父母在教養孩子時常犯的錯，華人也不例外。華人傳統觀念，父親偏愛孩子似乎是理所當然。聖經裡有個故事我們都熟悉：

利百加生下兩個兒子的時候，以撒年正六十歲。兩個孩子漸漸長大，以掃善於打獵，常在田野；雅各爲人安靜，常住在帳棚裡。以撒愛以掃，因爲常吃他的野味；利百加卻愛雅各。（創世記25章26-28節）

以撒的雙胞胎兒子以掃與雅各，因爲父親偏愛哥哥而種下家裡糾紛的種子，這也是所有的父母親所不願意見到的。而偏心所造成的家庭悲劇，似乎是一代又一代；當雅各年老時，竟然又重覆他父親的錯誤：

以色列(雅各)原來愛約瑟過於愛他的眾子，因爲約瑟是他年老生的；他給約瑟做了一件彩衣。約瑟的哥哥們見父親愛約瑟過於

愛他們，就恨約瑟，不與他說和睦的話。（創世記37章3-4節）

父親不可對孩子有成見，也不可以偏心，因爲我們在天上的父是公義的，祂也不偏心(申命記21章15-17節；提摩太前書5章21節)。偏心所帶來的結果，日後所造成的傷害，當成爲我們的警惕。而身爲華人父親的，更應主動地來與孩子們溝通、澄清、解釋，並且最重要的是向孩子們個別認錯及求原諒。

女兒一生的幸福在你手中

父親在女兒的生命中扮演一個很特別的角色。華人傳統觀念中的「三從四德」——在家從父、出嫁從夫、夫死從子，更是灌輸著女兒必須聽從父親的觀念。加上華人重男輕女，父親與女兒的關係本身就不是最健全的，身爲基督徒的父親更應該在女兒身上投注關愛。孩子，不論是男是女，都是神給我們的產業。有意無意的偏心，都是不應有的。

更重要的，也是許多父親所忘記的，那就是一個身心靈健康的父親，是女兒成長及一生的最大福氣。因爲**當女兒找對象時，她們往往以自己父親的形象去投射**。婚後，她們對男人及先生的形象與期望，都將以自己的父親爲標準。

當女兒有心願意服事神時，父親的鼓勵與贊同對她們的抉擇有舉足輕重的影響(民數記30章8節)。在新約初期教會，那有「傳福音者」美名的腓利，他的四個女兒也在教會中有重要的服事(使徒行傳21章8-9節)，如此的榜樣是值得我們效法的。華人教會中，的確有許多年輕的姊妹願意服事神。在屬靈的權柄上，做父親的有權利來贊成或阻擋。但願上述這些好的例子能夠提醒我們，身爲基督徒的父親會爲孩子願意服事來感謝神，並以此爲榮祝福他們。孩子一生中最重要的是擁有美滿的婚姻，但我們常常忽略美**滿婚姻的開始，乃是來自父親與女兒之間的美好關係。**

美滿婚姻的開始，乃是來自父親與女兒之間的美好關係。

西方人有一句話說：「**給孩子最好的禮物是愛他們的媽媽**。」然而，對華人父親成爲「賢夫良父」卻是美滿婚姻的第一步。論到孩子們將來婚姻的問題，我們不能怪女兒找的對象不好。因爲當女兒在交友時，她心目中的對象、她的選擇，早已在成長時已奠立了基礎，而這個基礎就在一家之主——你的身上。讓每位父親都成爲孩子最好的禮物吧！

行動篇——小小的行動，帶來世世代代的祝福

❤心存感恩

爲孩子的健康感恩。我們往往都認爲自己的孩子很平凡，沒有特殊表現；但卻忘了，也有許多孩子身體上有障礙，他們的父母盼望的只是：希望他們像普通孩子一樣就好。無論孩子長得如何——天生我才必有用。神賜給每一位孩子不同的恩賜與才華，讓我們爲孩子的天賦與恩賜來感恩。

🕮學習經文

「我體會基督耶穌的心腸，切切的想念你們眾人；這是神可以給我作見證的。我所禱告的，就是要你們的愛心在知識和各樣見識上多而又多，使你們能分別是非（或作：喜愛那美好的事），作誠實無過的人，直到基督的日子。」（腓立比書1章8-10節）

保羅盼望腓立比教會體會主耶穌的心腸。但願我們的孩子也能理解我們的心思，明白爲什麼我們如此關心他們的靈命，以及與神建立個人關係的重要性。

✞親子討論

與孩子討論爲什麼他們喜歡父親，或不喜歡父親的原因。也與孩子談談心目中的理想父親是什麼樣子？爲什麼父母採用如此教導子女的方式？是依循上一代的教養方式嗎？透過討論，讓孩子分析並瞭解，爲什麼父親會有如此的行爲模式。

✈實際行動

嘗試吃飯時把電視關掉，專心享受全家一起吃晚餐的時光。飯前的謝飯禱告，建議由全家人手牽手一起禱告。不只是由大人帶領禱告，也讓孩子開口禱告。

✝禱告回應

讓我爲自己與孩子關係的更新禱告。從今天起，擬定一項目標改進自己與孩子的關係，尋求神的幫助，期許自己每一天都做得比前一天更好。

也求神幫助我能夠承認自己的軟弱，看見自己的不足，仍然在學習如何成爲神心意中好的父親。我們都是罪人，需要神的憐憫與恩典。

求神賜我智慧與耐心，幫助我在教導孩子時能夠平心靜氣，讓孩子不只瞭解父親對他們的要求爲何，也看見父親對他們的愛。當孩子變得叛逆時，求神使我有耐心，賜我智慧分辨他們的目的，知道他們何時需要管教、何時需要安慰。

求神助我建立美滿的家庭關係，意見分歧時，能以開放的態度商量。

我願意彼此尊重、彼此相愛、彼此配合，使母親不再是孩子唯一的依附對象；使作父親的受孩子的尊敬之餘，也能常和孩子有美好的相處，成爲孩子們樂於學習與追隨的對象。

求神使我能花更多時間和心思，設計和孩子的相處時光。願每天和他們一起禱告，臨睡前陪他們小聊片刻，爲他們祝福。

✎我的禱告

5

成為孩子的守望者

「我父親最厲害的一招是…」朋友停頓了一下，開始道出他生命中最低潮時遠離神的故事。

「你父親究竟做了什麼？」我問得有點急，但又不想表現得太明顯。

「我父親做了兩件事：不論我所做什麼；或是忘了做什麼，他不會再嘮叨，這是第一件事；以及每天早上，父親會跪在我的房門口為我禱告。如果我要走出房門，就必須繞道而行。這樣的禱告，他持續了三年。」

論到子女教育，華人父母可謂當仁不讓。孩子從小起，就教導他們十八般武藝。凡事只要對孩子有益的事，父母都會去做。現代華人父母效法「孟母三遷」，搬進最好的學區，以便孩子考取最好的學校。除此之外，華人父母也無微不至地照顧子女的身體健康，寧願省吃儉用，把最好、最有營養的留給孩子。當孩子考試時，更是對孩子照顧有加。

除了關心孩子的教育與身體健康之外，我們是否也關心孩子的品格？對基督徒父母而言，是否也以同樣的心境關心下一代的靈命？他們與主耶穌的關係是否親密？聖經中有一位人物，他因與主的關係親密而聞名；卻少有人注意，他對子女靈命的關心，可說是另一種瘋狂的熱忱——此人就是約伯。

烏斯地有一個人名叫約伯；那人完全正直，敬畏神，遠離惡事。他生了七個兒子，三個女兒。他的家產有七千羊，三千駱駝，五百對牛，五百母驢，並有許多僕婢。這人在東方人中就爲至大。他的兒子，按著日子，各在自己家裡設擺筵宴，就打發人去，請了他們的三個姊妹來，與他們一同吃喝。筵宴的日子過了，約伯打發人去叫他們自潔。他清早起來，按著他們眾人的數目獻燔祭；因爲他說：「恐怕我兒子犯了罪，心中棄掉神。」約伯常常這樣行。（約伯記1章1-5節）

在約伯身上，我們可以學習之處極多。其中，最值得我們反省的是，**我們是否**像他一樣，那麼**注重兒女的靈性生命呢**？

成為孩子的守望者

約伯不但關心兒子、女兒的靈命成長，還擔心他們因心中隱而未現的罪遠離神，也怕他們在富裕舒適的環境中耽於安逸，恐怕他們在吃喝玩樂時，因犯罪而心中離棄神，自己卻渾然無所覺。於是打發人去叫他們自我潔淨，更爲他們獻燔祭。聖經強調，他是「常常這樣行」。約伯如此「瘋狂地」堅持，並爲孩子的靈命守望禱告，可謂是所有基督徒父母的榜樣。

為孩子的靈命健康來操心，並成為他們屬靈的守望者。

許多父母提到，孩子的行爲課業表現都好，卻在屬靈上沒根基，這是父母最大的困擾。我們需要像約伯一樣，瘋狂地**爲孩子的靈命健康來操心，並成爲他們屬靈的守望者**。

根植孩子生命的建造

無論年幼或年長，孩子都必須自己與神建立個人關係，這是聖經的原則。孩子年幼時，我們可以說講道罵，甚至強迫他們到教會；但是父母眞的有這麼大的本事嗎？我們能一直強迫他們，或者一直提供如溫室般的信仰環境，讓他們持守到底嗎？不是的，每一個孩子都必須擔負自己靈命的責任，父母也必須爲他們的靈命禱告。特別是當孩子長大獨立離開家後，父母很難在身旁監督他們的屬靈生活。爲神培養敬虔的後裔是有時間性的，機會一旦錯過就不再了；如果這個時候我們放縱不管孩子，也不爲他們守望禱告，那就失去最寶貴的機會。

子女長大離開父母去求學或獨立之後，到底還有甚麼事令基督徒父母感傷呢？

有一回，我見著一位姊妹就關切地問她：「你的孩子現在去哪一間教會？」她憂心忡忡的表情，讓我有“哪壺不開提那壺”的尷尬，我不應該這樣問話。

然後，她勉為其難地說：「他們離家上大學後，還沒找到合適的教會。」

「到底我們做錯了什麼，不知道為什麼孩子竟對教會和上帝失去興趣，他們仍是我的乖孩子，就是不願意去教會。」身為牧師的我，常常聽到父母親如此感嘆。

這似乎是第二代孩子離巢後常有的現象。問題出在哪裡呢？我們在教導上欠缺了什麼，以致於我們所信的，不能根植在孩子的生命中？

提醒孩子過聖潔的生活

當我們再仔細地思想約伯時，發現——約伯打發人去叫他們自潔。（約伯記1章4-5節）

在信仰上，雖然父母不能強迫孩子，然而需要讓他們明白，自己必須負上屬靈的責任。父母要提醒下一代成爲聖潔，這是父

母的職責。約伯不單是自己過著敬畏神及聖潔的生活，他也爲子女過聖潔生活而迫切禱告，並且每次筵席以後，就打發人提醒他們自潔。許多父母認爲自己的孩子很乖很聽話；但是，偶然卻會在孩子電腦螢光幕上發現色情的東西，這讓他們感到很驚訝。或許在他們的觀念裡，孩子應該是可愛天眞的；但當父母不在身旁，孩子使用的言語與談論的話題不恰當，甚至是不堪入耳時，父母卻全然蒙在鼓裡。在這個時代，父母不能光看孩子外在的表現，就判斷他們都很好；而是應該常常提醒他們，公開與他們討論，了解他們內心的世界。

許多時候我們只看見孩子的行爲，他們雖然沒有外表的惡行，我們卻忽略嫉妒、謗讟、驕傲、狂妄…

許多時候我們只看見孩子的行爲，雖然外表沒有惡行，我們卻忽略嫉妒、謗讟、驕傲、狂妄等，從心裡出來的污穢。這些心中隱而未顯的罪，爲人父母可能毫無察覺，也沒有爲此禱告。聖經說：「因爲人心比萬物都詭詐，壞到極處，誰能識透呢？我耶和華是鑒察人心、試驗人肺腑的，要照各人所行的和他做事的結果報應他。」(耶利米書17章9-10節)我們很少用這樣的經節來描述我們的孩子。的確，人心比萬物都詭詐，不要認爲在教會中長大的孩子就沒有這方面的問題；但神在這裡提醒我們，他會照各人所行和所做的結果報應他。當然父母在教導孩子聖潔時，也必須放下高姿態，以誠懇的態度讓孩子知道，父母也是罪人，有同樣的試探與軟弱。我們需要向孩子表達，自己一樣需要神的恩典與憐憫，來對付這一切的罪。因爲聖潔不只是行爲方面不做哪一些壞事，它更代表我們的心裡必須學會敬畏神、親近神。

將關注下一代靈命付諸行動

關心下一代的靈命，是否就只是提醒他們聖潔，爲他們禱告而已？既然靈命是他們自己與神的關係，那我們眞正也做不了什麼！這些都是錯誤的觀念。關心下一代的靈命，不只是在一次座談、培靈甚至是讀過一本書後去做做而已，關心下一代的靈命需要非常認眞與付上代價。

當孩子生活安逸舒適時，約伯反而憂慮，擔心他們會因此遠離神而不敬拜神。他主動爲孩子獻祭。獻燔祭是需要獻上牛、羊，在神面前燒掉。約伯竟然細微到爲每一個孩子獻一頭牲畜，他不僅是用一條牛來包括所有的孩子，而是爲每一個人獻上一頭牛，這要花上許多的代價。約伯所擔心的不只是孩子外表愛主，而是心裡是否敬畏神。

我們自己也必須完全正直，敬畏神，遠離惡事。約伯每天清晨起來，按著子女眾人的數目獻燔祭；因爲他說：「恐怕我兒子犯了罪，心中棄掉神。」棄掉神就是遠離神的意思。

美國的「Barna Research」在調查中發現，少於百分之十的基督徒的父母和子女一起上教會、讀經、禱告或是帶領全家一起服事，少於百分之五的家庭，安排時間讓全家聚在一起敬拜分享。同樣的，筆者在華人教會中的調查中，雖然近半的父母與孩子吃飯時禱告，但眞正與孩子讀經的卻寥寥可數。

關心孩子下一代的靈命，需要花時間，也必須認眞，並且刻意

來做；絕對不是紙上談兵，說說而已。亞伯拉罕爲神所重用與蒙神祝福，他敬畏神，甚至當神要求他把兒子獻上時，他也不爲自己私自留下獨子，神看重他的心。「耶和華說：『你既行了這事，不留下你的兒子，就是你獨生的兒子…」(創世記22章17節)。華人父母關心孩子，事事替他們著想，如此認真的程度，仍要向亞伯拉罕對神有堅定的信心看齊。亞伯拉罕看重神，過於他自己的孩子，意味的是——他不因爲保留唯一的兒子而溺愛、放縱他。

成績與成就並非一切

「這令你驚訝嗎？」朋友的目光從電腦螢幕上移開，轉頭對我說。

「這些全都是教會年輕人在網路上的留言，有的匿名、有的則是用不同的暱稱來發表，但他們寫的全是不堪入目的髒話與抱怨。」她指著電腦畫面的內容，繼續說：「這些內容的發佈者，不是別人，都是那些在教會中被認為很乖巧的孩子。」

她難過地說著，同時將電腦畫面跳到另一個視窗。

參孫的父母多次求告神，指教他們怎樣看管這將要生的孩子。

主阿，請叫你所差遣的神人再到我們這裡來，好指教我們怎樣看管這將要生下來的孩子。（士師記13章8節）（呂振中譯本）

我們都需要有神的智慧來管理祂所交托的，箴言有許多智慧教導如何幫助孩子。筆者小時，曾被父母要求背誦箴言，當時我覺得很痛苦，現在回想起來，那時所背的就是給現在最好的提醒。

我們的孩子，學業上已經有很好的表現。但若要在人與神面前得蒙恩寵、有智慧，父母必須幫助教導孩子，從小不要倚靠自己的聰明智慧，將來神會引領他們的路。華人父母無形中已經灌輸孩子，人生最重要的只是好成績、有成就；而對神的認識，一直都是次要的。但是，**若爲人父母將愛神的優先次序對調一下，你可能發現孩子的生命也將不一樣**。當他懂得尊主爲大時，那麼一生將蒙受神的祝福。

揮出關鍵性的第一桿

時光稍縱即逝。教養孩子如同塑造黏土，年幼時他們的性格如同黏土濕軟可以隨心塑造；但是等他們長大，黏土僵硬，要去改變就非常困難。教養子女也好像打高爾夫球，若第一桿揮出去方向對了，這一場球賽就能得心應手；但如果第一桿方向錯誤，球打歪了，遠離方向，那麼接下來要改正就困難許多。同樣的，教育子女也是如此，必須從孩子小時就開始看管教導提醒他們。

關心孩子的靈命也必須成爲我們的屬靈習慣

約伯不只一次爲他的孩子們獻祭，聖經更強調這位父親常常這樣行。這不是每年一次兩次而已，而是已經成爲習慣。我們**關心孩子的靈命也必須成爲我們的屬靈習慣**，不能偶然聽到講道備受激勵，然後大發熱心；隔日卻又忘了。孩子的習性是持續性的累積，因此，必須在孩子生命中每一個階段，都持守我們在神面前所領受的，如此才能奠定好屬靈的根基。

爲孩子禱告必須有規律性。他們無論在家裡、將來離家上大學、或是跟朋友一起，時時刻刻都會遇見試探。而我們的禱告也必須時時刻刻、慣例性的爲孩子舉起手來禱告。

許多父母在孩子小時，會習慣爲孩子禱告。一旦他們進到大學後卻放棄了，認爲他們成年後就不需擔心。其實他們獨立之後，更需要父母的代禱。

家中有青少年父母的，常常會覺得孩子與我們的溝通越來越簡短與原始；我們該如何爲他們禱告？求神幫助我們，在孩子年少時，讓我們有更多的耐心與愛心。同時，經歷過孩子青少年反抗期的父母，似乎開始能更深地體諒到，神對於他的百姓悖逆與抗拒的痛心與無悔的愛。我們不單要爲自己禱告，也要爲孩子守望禱告。

要常常禱告不可灰心

用家中的「黑羊」(black sheep)來形容孩子是有獨特的意義，意指這孩子是家中走迷的。有些字典翻譯爲敗家子，聖經中也提到不少黑羊的例子。天下沒有任何父母，願意如此稱呼自己的孩子，即使是他們的行爲使自己痛心疾首。敬虔的父母仍會有走迷不聽話的孩子，不敬虔的父母也有敬虔的孩子。

在講究面子的中華文化中，**父母只習慣和別人分享孩子的優**

異表現；而無法公開訴說自己爲家中迷失黑羊的擔心與憂慮，只能暗地爲著他們的靈命退步、不再聚會、甚至放棄信仰心裡憂傷。我們要學習的是：「要成爲孩子的守望者」， 因爲代禱是屬靈爭戰的武器。

關心第二代靈命，很重要的一點是不可以灰心。路加福音第18章2節說到「要常常禱告，不可灰心。」這一段是大家耳熟能詳的浪子回頭比喻。筆者相信，主耶穌也是藉此比喻，安慰及鼓勵所有爲神盡力教養敬虔後代的父母。在比喻中，這位世界最有名的「無名父親」，沒有放棄走迷的黑羊，而是每天等在路口盼望那「走迷」、「靈性破產」小兒子、家人所公認的「敗家子」，那「不可外揚的家醜」回來。這裡不單表現出天父的慈愛，也提醒父母關心孩子的靈命不可放棄。筆者自己也曾讓父母經歷心痛、走過長久的煩惱日子。有許多敬虔基督徒父母的孩子的確是遠離了神，但是聖經也提醒我們不應放棄，也不可放棄爲他們禱告求神的憐憫臨到，求神帶領他們回來。

當孩子長大後，作父母的認爲不再需要爲子女教育憂慮。的確如此，我們已經盡了最大努力來教導他們。只是，這樣還不夠。即使孩子長大，我們進入空巢期，也並不代表應該停止教養的職責。約伯的孩子已經是成人了，約伯卻還沒有放棄關心他們的靈命，這是給基督徒父母的提醒。但願我們關心孩子的靈命，能夠真誠地關心他們的心思意念，願意認真並付上代價，**讓我們愛主愛人的生命，同樣能貫注在他們的生命**裡。

筆者在這裡必須特別提醒，雖然以約伯爲例，但這不代表關心孩子靈命只是父親的責任，這是父母共同的責任。不論夫妻中是否只有一人信主，關心孩子的靈命就是爲父爲母的職責。

行動篇——小小的行動，帶來世世代代的祝福

❤心存感恩

每一位孩子都有特別值得稱讚的品質，譬如具有同情心、勇氣、友善、樂於關懷等等。但是，我們卻常常忘記他們與生俱來的特質。孩子有好的品格，值得我們來向神獻上感恩。

🕮學習經文

「但要凡事察驗，善美的要持守，各樣的惡事要禁戒不做。願賜平安的神親自使你們全然成聖！又願你們的靈與魂與身子得蒙保守，在我主耶穌基督降臨的時候，完全無可指摘！」（帖撒羅尼迦前書5章21-23節）

保羅勸勉弟兄姊妹要全然成聖，靈與魂與身子都蒙保守，在主耶穌再來的時候完全無可指摘。讓我們自己先學習過一個聖潔的生活，有聖潔的身體、思想與靈命。

☺親子討論

與孩子討論，出現在電視、電影、網路中的暴力與性畫面，聽聽他們對這些畫面的看法，是否感覺不舒服或者無所謂？我們不要以說教的方式，而是聊天式地詢問，從信仰的觀點來看，這一些爲什麼是不討神喜悅的，鼓勵他們發表意見看法。

✈實際行動

父母不要單方面指出孩子的弱點，而是要看重孩子的優點。列出孩子的長處，在適當的時機加以鼓勵，也讓孩子知道自己有哪些的長處；同時，也幫助孩子學習改進缺點。

✞禱告回應

爲自己有持續爲孩子靈命禱告的熱忱。當我們還不配、不可愛、不値得愛的時候，神就先愛我們，這就是神的恩典。我們是否眞的相信主愛每一個孩子，不論表現好或壞，祂的愛也包括使我們失望灰心的孩子？

擬定一份教會與家庭計劃，每年至少讓孩子參加退休會或其他的特會，讓孩子能夠感受屬靈上不同的挑戰，使靈命得以成長。

我如何評估每一位孩子的靈命呢？哪一個可能在將來離家後遭遇信仰問題？現在該如何盡我所能，幫助他們持守信仰？

求神讓我把對孩子靈命的重視，深深烙在心中，使我對他們的屬靈光景有敏銳的觸覺，能適時給予幫助。

持續不斷地爲他們的靈命禱告，成爲他們的守望者，爲他們的敬虔、清潔、對神的渴慕和敬畏禱告。即使在他們看來最聖潔最屬靈時，我也要繼續爲他們不受試探、不跌倒、不驕傲而禱告。

按聖經的原則教導他們處世方式和態度。

✎我的禱告

6
神所賜的產業與祝福

「四個孩子？你們真是好有福氣！」我們剛認識的年輕夫婦，帶著羨慕的口吻説。

「你們有孩子了嗎？」我的妻子也熱心地問他們。

「我們有隻大狗。她就是我們的孩子！」那位先生微笑地插口解釋。

「孩子太麻煩了！狗也是像人一樣地貼心呢！」年青的太太回應著。

「至少你們不必為這孩子準備大學教育費。」我嘗試幽默地改變話題。

現今的父母親除了供應子女日常所需之外，相信許多人都希望能給子女多留些東西，或是留下什麼祝福給他們。身爲基督徒父母，我們是否能成爲他們一生的祝福？祝福孩子是我們的心願，然而神也藉著兒女來祝福我們。但是我們卻忽略一個重要的事實，那就是敬虔愛主第二代，才能帶給父母親莫大的祝福，因爲**他們將是我們唯一能存留至永恆的不朽產業**。聖經如何描述這樣的祝福呢？詩篇裡所羅門王所寫的上行詩歌，第127、128篇，都是描述信神與愛神的家庭及他們的第二代。

兒女是耶和華所賜的產業；所懷的胎是他所給的賞賜。（詩篇127篇3-5節）

這節經文的背景及由來，是以色列人前往聖殿朝拜時，在路途之中以背誦此詩篇來表達對神的感恩，感激神對那些忠心於祂的子民，給予特別的恩典和賞賜。讓我們來思想，在這詩篇中，聖經如何用獨特的角度來描述第二代。

兒女是神託的產業

產業是福氣、恩典，是祖先所留下來的，而不是以自己勞力換取的。我們無權選擇自己的出生家庭，所以人們常會認爲，那些能擁有繼承父母產業的人特別幸運。儘管如此，**產業需要管理得當才能留得住**。兒女就是如此，他們的生命是神交付託管的產業，我們必須妥善經營。

父母必須相信與肯定每一位孩子都是神所賜的禮物，他們的

出生不是意外更不是錯誤，每一個孩子都是父母的至寶。當我們完全相信，每一位孩子都是神的祝福時，才能真心委身來養育他們，否則就與養寵物一樣沒什麼分別。

孩子不是當然的禮物

我們可以把賞賜解釋爲獎賞或工價，二者皆意味著，我們需要付出努力才能得到。的確，**孩子不是一份理所當然的禮物，也不該以此來滿足或填補我們的虛榮心**。他們是神所賞賜的，需要我們努力培育才能得到果子。再者，養育第二代是夫妻二人共同的責任，因爲孩子是夫妻共同的產業。經營產業之責應是由父母共同來擔當，不應委託於祖父母、老師、主日學老師或者是牧師。

孩子不是一份理所當然的禮物，也不該以此來滿足或填補我們的虛榮心。

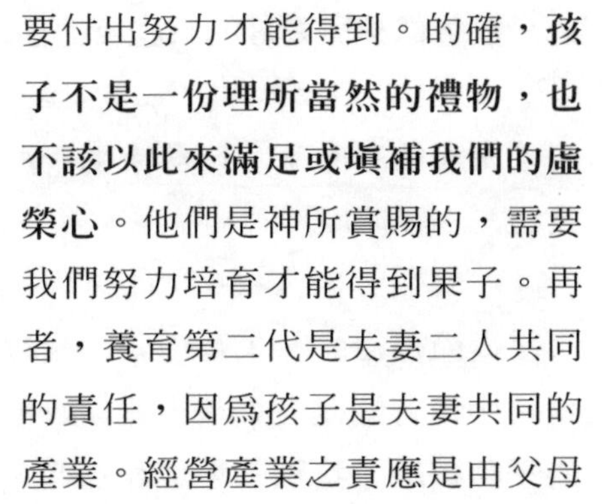

父母因爲忙於工作，把養育、教導的責任交由祖父母，這在華人社會與教會屢見不鮮。但父母仍要參與孩子的成長，父母對於孩子的影響力不是任何人可以取代的。筆者的許多朋友都是在情非得已的情況下，委託祖父母照顧孩子。筆者可以瞭解當中的難處，但要提醒所有的父母，沒有任何人可以取代你們的地位。經營神所賜的產業，這項任務時間很緊迫，因爲孩子快速成長，他們沒有閒暇等待父母。我們若不妥善管理這份珍貴產業，便會因管理不當而虧欠了神。

敬虔子女是父母的保障

少年時所生的兒女好像勇士手中的箭。箭袋充滿的人便為有福；他們在城門口和仇敵說話的時候，必不至於羞愧。（詩篇127篇4-5節）

聖經以當時的社會背景來描述，第二代如何為父母提供保障。若父母是戰爭中的勇士，兒女就如同勇士手中的兵器，他們能成為攻擊人的劍，也成為父母的辯護人，保護自己父母親的利益。

在聖經中，孝敬父母的意思遠超乎衣食住行的供應，更重要的是提供父母身心及經濟上的安全感。在華人文化中，也一直保有養兒防老的觀念，這已成了古老的傳統。但是，在這強調退休依賴積蓄，或政府福利金維生的時代，聖經中為父母提供保障的觀念，似乎日益遙遠，現代父母常被奉勸別再指望子女奉養終老。然而，聖經的眞理永不改變，**敬虔家庭的第二代，仍是父母的保障**。當然，神的話並非教導養育孩子的目的，乃是作為退休後的保障，或作為期待回報的投資。聖經是在提醒我們，按照神心意養育神所賜的下一代，父母便會得著神的應許。

身處海外的華人父母，因著地方文化和當地人對年老父母的態度不同，有的甚至與傳統華人孝道背道而馳，以致子女在缺乏尊重華人文化的環境下成長，或嫁娶不諳華人傳統價値觀的當地人，最終導致忽略父母的需要，甚至與父母疏遠。父母會為此感到背叛和傷害。但別忘了詩篇127篇，向神感恩的禱告：他們對神忠心，竭力順服神，按神的誡命生活和養育兒女。

「我常常以一個問題來提醒自己：『耶穌會怎麼做？』(What Would Jesus Do?)」這位年輕人一邊對我說，一邊伸出手讓我看見戴有WWJD字樣的手環。

「每一次當我的父母吼我時，我都這樣問自己。」

「但是，同時我也在思想，當我與父母間有衝突時，他們會不會用同樣的問題問他們自己？」他抬起頭問我，眼神中充滿著疑惑：「牧師，你認為呢？」

是的，爲人父母的你，與孩子有衝突時，是否也會問『耶穌會怎麼做？』敬虔的子女使父母得益處，我們也應該爲這樣的恩典來感恩及回應。

雙重福氣的愛主家庭

子女是神給父母的祝福。在一個信神愛主的家庭，父母確能成爲兒女的祝福。請注意，敬畏神、遵行神旨意的家庭的確得到雙重祝福：一份受之於父母，另一份則受之於兒女。敬畏神的父母，享受子女們的孝順。

詩人描述，敬畏神的人得享福氣，也就是得享其勞苦所結的好果子。神所賜的福包括凡事順利，而且要多得兒女：「你要吃勞碌得來的；你要享福，事情順利。你妻子在你的內室，好像多結果子的葡萄樹；你兒女圍繞你的桌子，好像橄欖栽子。看哪，敬畏耶和華的人必要這樣蒙福！」（詩篇128篇2-4節）

詩人在這裡的確給我們一幅美麗的圖畫：充滿青春活力的年輕人圍繞著他們的父母，成就有如纍纍果實，事業豐富，像橄欖樹結出好果子，能夠成為上好的橄欖油。這才是聖經所謂的福氣。然而，許多父母把孩子視為經濟負擔，圍繞著餐桌的，是一張張有待餵飽的口，每張口背後的需要，還包含了各種費用，如托兒、教育、醫藥、甚至大專院校種種的花費。而孩子長大後賺了錢，逕自享受，大房子自己住，年老的父母被棄於不顧，這些令人心酸的事屢見不鮮。同樣的，孩子也覺得老人家是經濟的負擔，年輕的夫婦忙著照顧自己的孩子，好不容易等到孩子長大，多出時間與空間讓他們可以做自己想做的事情，因此照顧上一代的責任就變成避之唯恐不急，盡可能避之則吉，不樂意照顧上一代。

從詩篇的描述，我們看到第二代有成就，也使父母受益。當盡力為神培養敬虔的後裔時，神會祝福和賞賜我們。我們也要相信，詩篇所描述的美麗圖畫是給敬畏神，以及遵循聖經教導的家庭。當我們照顧年老的父母親，等我們年老時，孩子也會效法我們的榜樣，這樣的美德是一代接一代。

心境年輕又延年益壽

敬畏、遵行神話語的父母還有另一個特別的祝福：

願耶和華從錫安賜福給你！願你一生一世看見耶路撒冷的好處！願你看見你兒女的兒女！願平安歸於以色列！（詩篇128篇5-6節）

敬虔的基督徒，能在年老享受神所賜的福氣，有兒女奉老，享有天倫之樂，所謂的子孫滿堂，這是神的應許。

今日，人們認爲照顧孫兒是一種挑戰，視爲繁雜的家務事，帶著喜憂參半的心態來面對。但筆者卻發現，幾乎所有祖父母都把能夠與第三代，甚至第四代相處視爲一種光榮福氣。與年輕一輩孫子在一起確實有許多的好處，使他們心境年輕，延年益壽。

含貽弄孫在華人觀念裡，是爲人父母最大的福氣。這不但要健康長壽，還要與孩子的配偶，特別是婆媳間，和睦相處。當越來越多人開始移民、兄弟姐妹都分散在遙遠各處，三四代要同聚一堂的機會就難了。老人家若有機會好好照顧孫兒，必定也得孫兒們特別愛戴。因爲孩子與帶他們的人較親近，這是天經地義的。兒子兒媳、女兒女婿，也總以感恩的心回報。

敬畏神是一切福氣的基石。

詩篇提醒**敬畏神是一切福氣的基石**。這福氣特別指出得自第二代與受於第二代的祝福。

祖父母角色與影響力

「我的父母雖然沒有正式離婚，其實卻和離婚無異。他們隨時隨地都可以爭吵，根本無法相處一室。」一名年輕牧師向我吐露。

「這真難為你了。」我拍拍他的背，安慰他。

「其實，我有一個愛我的祖母，從幼時起就不住為我禱告……她相信神終有一天要重用我，即使是一個在殘缺家庭長大的孩子！」

「看來神應許了慈祥祖母的禱告。」

「是的！」青年牧師自豪地答。「神應許了祖母的禱告！！」

一項調查指出，在中國將近有一半的孩子是由祖父母帶大。造成隔代教養最主要的原因是，父母忙於工作甚至是長期在外地工作，無暇照顧子女。而煩勞祖父母照顧子女，一方面孩子可以獲得好的照顧；另一方面年邁的祖父母也可以退而不休，甚至可以獲取一些經濟來源。

神啊，我到年老髮白的時候，求你不要離棄我！等我將你的能力指示下代，將你的大能指示後世的人。（詩篇71篇18節）

聖經教導，**孩子認識神的律法和命令，是父母的責任；但祖父母也不能在培養敬虔後裔中缺席**。神要求祖父母以說故事的方式，向孫子講述神所做的一切大能。詩篇第78第4節：「**我們不將這些事向他們的子孫隱瞞，要將耶和華的美德和他的能力，並他奇妙的作爲，述說給後代聽。**」就是提醒祖父母，以敘述的方式講述如何倚靠神的奇妙作爲，這是祖父母的責任。

教養孫兒女時，祖父母常常會落入兩個極端：一種型態的祖父母，堅持除了陪孫子玩耍外，其餘的都是父母的責任；相反的，另一種則是會常常插手、提出意見來管教孫子。兩種極端都不健康，甚至造成傷害。三代同堂時，如何在孫子教導上做得平衡，祖父母的確需要許多的智慧。敬虔的祖父母是神給每個家庭最特別的禮物。聖經中所列出許多家庭的祖父母，都是滿有信心又敬虔。最爲人所熟知的是提摩太的祖母羅以。她在提摩太信心成長與屬靈知識上，有極大的幫助與影響。特別是在屬靈單親的家庭中，信神愛主的祖父母扮演極關鍵的角色。他們不但能帶領孫兒女歸主，更能成爲後代信心上的一大支柱。

第二位人物是拿俄米，這也是很特別的例子。路得是外邦女子，婆婆拿俄米與她同住。拿俄米協助路得教養她與波阿斯的孩子，以神的話教導孩子行在神的道上到老都不偏離。第三位人物是約書亞，即使約書亞已經年紀老邁，他仍然是一家屬靈的發言人，堅持一家要服事神。

許多華人祖父母有一種觀念，只要年紀大了就可以不管孩子，只要和他們玩耍即可。**在屬靈單親的家庭中，信主的祖父母在屬靈上扮演著重要的角色**。要建立孫子們信仰的基礎，以生命與他們建立特別的關係，以生命活出信仰的見證，成爲信心盼望及聖潔生活的榜樣，也從旁提醒他們要更愛主。

從教會的觀點，教會也需要更多年長的弟兄姊妹，來與孩子還年幼的弟兄姊妹分享，甚至繼續參與第二代事工，在主日學講故事。不要認爲他們已經年紀老邁，其實，他們在小孩子心中是受歡迎的。

祝福臨到子孫至千代

一天，主領敬拜的弟兄在領聚會時向會眾分享説：「每當我來神的面前，我不斷地為著神在我兒子身上所動的工，而高聲讚美神，神的能力是超乎我們所求所想的。」那真是令人感動的時刻。

「當我的兒子第一次問我：『爸爸，我可以怎樣為你禱告？』時，那種激動的心情是難以用言語描繪的。」他繼續說，「他不是隨口說說，他記住我的代禱事項，並且日復一日為著我每日的需要禱告。有子如此，父復何求？」

神所頒佈的十誡中，有一個嚴肅而又重要的祝福——把我們向神的敬虔和我們後代的祝福緊緊相繫。

不可爲自己雕刻偶像，也不可做什麼形像彷彿上天、下地，和地底下、水中的百物。不可跪拜那些像，也不可事奉它，因爲我耶和華你的神是忌邪的神。恨我的，我必追討他的罪，自父及子，直到三四代；愛我、守我誡命的，我必向他們發慈愛，直到千代。（出埃及記20章4-6節）

若爲人父母者，愛神且忠心服事祂，神應許：「必有特別的慈悲和憐憫直到千代」，這是很難想像的祝福。相對之下，神說恨惡祂的，必追討他的罪自父及子直到三四代。當然，這一段經文的背景，是神與亞伯拉罕所立的約。有人會質問，這是神與亞伯拉罕以色列人間特別的立約，其他的基督徒非猶太人是否能享受到這樣的祝福？有一件不可否認的事實，當父母親愛神，就會帶給後代子孫許許多多的祝福。如果神要求我們遵守十條誡命，我們也滿有信心，愛祂、服事祂、守祂的誡命，神所賜的祝福，不但是在我們身上，還會臨到我們子子孫孫身上。

行動篇——小小的行動，帶來世世代代的祝福

❤心存感恩

父母常會覺得孩子是令人煩惱的。孩子小時候，可愛討人喜歡；等大了一點，雖然懂事明理，麻煩卻不少。有人說，世界上最不自私的事，就是一對夫妻願意生兒育女。讓我們來思考，孩子爲我們帶來了什麼喜樂？我們必定也從孩子身上得到許多快樂，爲此來感恩。

🕮學習經文

「倘若你們在別人的東西上不忠心，誰還把你們自己的東西給你們呢？一個僕人不能事奉兩個主；不是惡這個愛那個，就是重這個輕那個。你們不能又事奉神，又事奉瑪門。」（路加福音16章12-13節）

耶穌說人不能事奉神又事奉金錢，一定會偏重一個。盼望這也成爲我們的提醒，我們要關心孩子的靈命，也要讓孩子看見，我們是眞正愛神，而不是只愛世界。也求神再次提醒我們，在屬靈的教導上，作忠心於主的僕人。

☺親子討論

與孩子討論金錢價値觀，究竟要有多少錢才算富有？他們認爲目前家裡的經濟條件如何？與他們的朋友相比，這樣算是富有還是貧窮呢？從新聞報章雜誌中，孩子們也看見名人明星賺了許許多多的錢，這優渥的收入是否讓他們羨慕？

✈付出實際行動

計劃一件可以與孩子們一起做的事，至少每兩星期一次，不只是看看電視而已。如果祖父母也住在附近，邀請一起出去走走、吃飯，或者是做他們想做的任何事，藉此增進與孩子間的親密關係。如果祖父母住得比較遠，也可定期與孩子打電話給他們，讓孩子在電話中與他們分享近況，也表達想念之情。

✞禱告回應

從今日起，我要怎樣爲我的孩子作不同的禱告？開始爲孩子將來所交的男女朋友，甚至他們將成立的家庭及下一代禱告吧！

孩子的眼睛是明亮的！我是否是個孝順的兒子、女兒、女婿、媳婦呢？讓我們爲著自己與父母和配偶父母的關係禱告，求神先改變我的心、我的態度。

求神教我常常數算主恩，明白一切福氣都從神來，皆因祂的恩典而臨到我。我要更敬虔愛神，以神的愛更愛我的父母和兒女，使他們也能同樣因愛神和蒙神所愛而得福。

我要爲自己的家常被神的愛充滿而禱告，求神幫助我在最惡劣的情況下仍能做神流通的管道。

我要盡所能教導孩子成爲眞正敬虔愛神、敬畏神的人，甚至教導他們也要這樣教養他們的子孫。

✎我的禱告

7
第二代流失的大禍茵

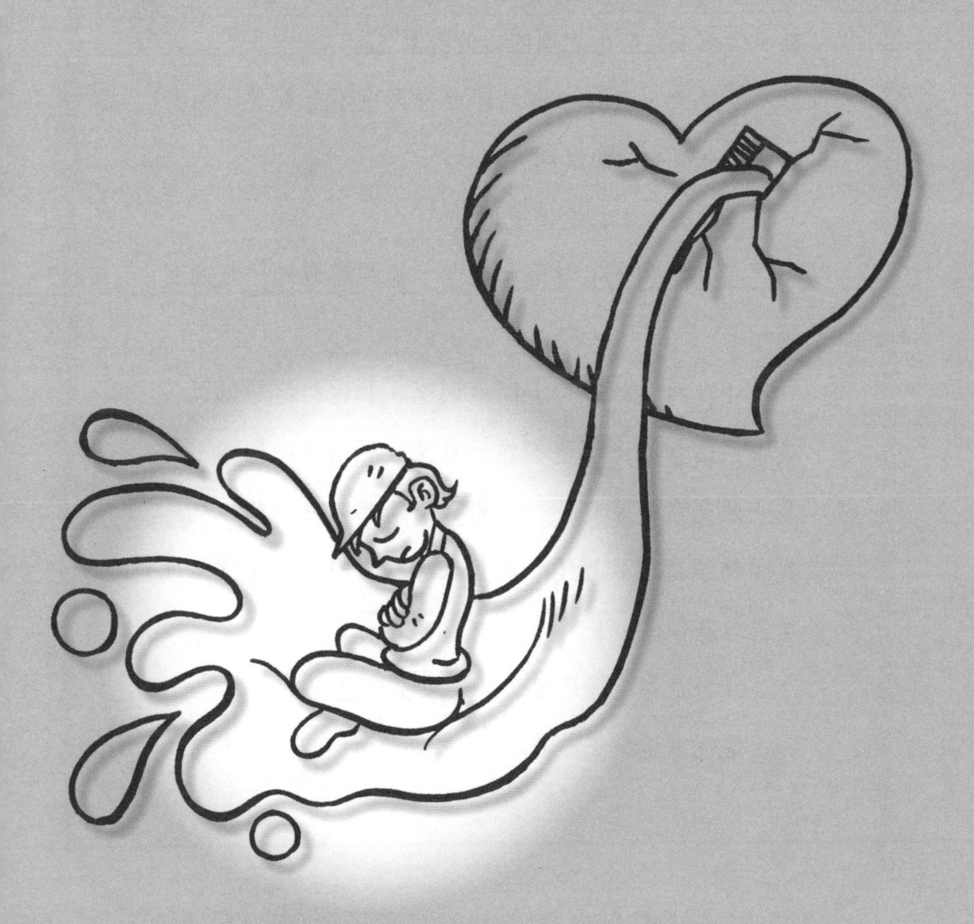

我與一位久沒聚會的年輕人聊天。

「你真要知道原因？」眼前的年輕人嘴角輕輕抽動，似乎正在努力克制內心的激動。

「是的，我想知道為什麼你再也不上教堂了。」我重復一遍先前的疑問。

「虛偽！！」他憤恨地道。

「嗯？」我不解地望著他；他卻轉頭避開我的目光。

「我的父母…你去問他們吧。」他的話語低沉，眼中充滿傷痕：「他們在教會時表現出無比聖潔，可是一回到家便爭吵不休，每天針鋒相對互不相讓……我受夠了這種表裡不一的行徑，我再也無法忍受如此虛偽的基督徒。」

「於是你選擇逃避？」我問。

他沉重地點了點頭。

在舊約聖經中，許多處經文都提及，父母必須擔負教養孩子靈命的責任；但是，在新約裡，似乎沒有相同比重的教導。許多信徒常常誤以爲，主耶穌忙於其他的事工，孩童與第二代年輕人不是主耶穌事工的優先秩序。其實，若我們再次細讀四福音書，就可以發現，耶穌對第二代事工的重視隨處可見，年青的一代不但是主所重視，孩童更是主所心愛的。馬可福音第十章即是耶穌對第二代事工最完整的教導。在這一章中主耶穌首先指出，夫妻成爲一體的家庭，是關心第二代靈命的基礎，淫亂及離婚都不是神的心意。

無可否認的，對一個孩子的靈命而言，家庭與教會都有極重要的影響。許多基督徒的父母，把教養孩子靈命的責任推卸給教會，這不但不合乎聖經，也是不明智的。在孩子的靈命成長上，教會的確扮演著不可或缺的角色。教會若要造就年輕的信徒，就必須要有目標導向——**有意義的第二代事工計劃**，而**不只是一項看顧孩童的褓母事工而已**。

我們在此先爲第二代事工下定義：一般人對第二代事工的印象就是主日學與青少年團契；但是這只是第二代事工的一部分，它還包括：婚姻、教導父母、嬰兒與孩童看顧、週間的青少年活動與聚會、大學的事工、甚至訓練教會中的職業青年等…這些都屬於第二代事工的範疇。

耶穌看重第二代事工

主耶穌出來傳道事奉後，有極其繁多的事工，祂要醫治疾病、向群眾與門徒傳講天國的福音。似乎主耶穌沒有多餘的時間再去關心第二代年幼的孩童、青少年；其實不然。

有人帶著小孩子來見耶穌，要耶穌摸他們，門徒便責備那些人。耶穌看見就惱怒，對門徒說：「讓小孩子到我這裡來，不要禁止他們；因為在神國的，正是這樣的人。我實在告訴你們，凡要承受神國的，若不像小孩子，斷不能進去。」於是抱著小孩子，給他們按手，為他們祝福。（馬可福音10章13-16節）

主耶穌看重第二代事工；但是，門徒卻不瞭解，責備前來的小孩。當時，父母親要求拉比為下一代祝福是猶太人的習俗，門徒卻拒絕、阻擋。門徒輕看小孩子的態度，使耶穌非常惱怒。這是四福音書唯一兩次記載耶穌惱怒的事件之一，另外一件事是耶穌潔淨聖殿(約翰福音2章13節)。主耶穌如此強烈反應是可以瞭解的，因為第二代對主耶穌而言何等重要，與聖殿成為聖潔同等。

當時門徒的觀念和態度，也代表當今華人教會一般的態度。教會普遍沒有注重及關心第二代的靈命，甚至輕看第二代事工，這是值得我們反思的。

資源短缺而忽略第二代

究竟哪些原因使得門徒與當今華人教會輕看第二代事工呢？

一、所有教會都面臨資源有限的壓力，包括人力、財力、配搭事奉的同工。因此，第二代事工就容易被忽略，而得不著教會長執的注重。因為沒有足夠的人力投入服事第二代，教會中的第二代人數也就更少。

二、在事工的優先順序上，第二代事工不具優先性。這樣的看法，就如當年的門徒一樣。教會的人力資源大部份都投入成人事工、音樂崇拜、社區關懷、宣教等事工等。這些優先順序都遠遠超過第二代事工，即使教會投入第二代事工，也往往只是在扣除主日聚會團契等需要的人力後，剩下的人才投入第二代事工。

三、**投資第二代，不能立即獲得回報**。第二代事工，有時是吃力不討好的，我們的投資往往不能馬上轉變成量的增加；同時，不見得使教會的奉獻增加。對教會而言，這都只是付出而沒有回報。教會通常只注重受洗人數的多寡，成人主日崇拜的數目增加，小孩子信主並不能跟大人信主被視爲同等重要。

投資第二代，不能立即獲得回報。

四、第二代事工被當作褓母看顧。教會認爲第二代對教會的奉獻比較少、不能直接參與服事、不懂講台教導、對眞理沒有認識、無法清楚重生得救等種種原因，所以就不被看爲重要。

以上幾點，無意指責教會，而是根據聖經原則來彼此提醒。不論是青少年、孩童、或嬰兒，如果我們沒有投資在第二代，不只父母沒有做好神所託付忠心良善管家的責任；在事工上，教會也一樣辜負主耶穌的心意，並忽略祂所關心的。

效法孩子謙卑單純心

「你在教會覺得怎麼樣呢？」一天，我問小女兒。

「還不錯呀。」她停頓了一會兒反問我，

「爸爸你想問什麼呢？」她似乎察覺到我話中有話。

「我的意思是，妳現在在教會裡彈吉他、帶領敬拜讚美，妳怎麼看自己的這項服事？妳的感覺如何？」我問她。

每當孩子們在教會參與一些服事時，我都會這樣與他們討論。

「我知道我必須用謙卑的心來服事神，把自己擺在祭壇上，而不是舞臺上。」她說，「但是，有些孩子的父母卻不是這樣想，他們只要求孩子在教會中發揮音樂上的技巧與才能。…」

父母親或教會鼓勵孩子事奉的動機及心態是什麼？我們的心態足以影響孩子事奉神的態度。我們建立第二代不光只注重「才幹」的表現；更重要的是建立下一代做個「忠心的管家」，好好運用及管理神所賜的一切恩賜，忠心在神面前事奉。因此，主耶穌不只教訓門徒，注重第二代事工；更要求所有的成人信徒，都必須向第二代學習，學習他們的謙卑。

當時，門徒進前來，問耶穌說：『天國裡誰是最大的？』耶穌便叫一個小孩子來，使他站在他們當中，說：『我實在告訴你們，你們若不回轉，變成小孩子的樣式，斷不得進天國。所以，凡自己謙卑像這小孩子的，他在天國裡就是最大的。凡為我的名接待一個像這小孩子的，就是接待我。』（馬太福音18章1-5節）

「變成小孩子的樣式」不是指變成像孩子一樣心智未成熟、不懂事；**而是要像「小孩子般的謙卑」**，學習他們的單純、自感微小、完全倚靠父母、願意服從等特質。我們成年人往往缺乏這些特質。服事久了，成為所謂的老基督徒，有敬虔的外表卻沒有主盼望我們擁有的敬虔內在，這是非常可惜的。

除了效法孩子的謙卑單純，我們也必須重新調整對第二代的整體觀念與態度。效法主耶穌注重第二代事工，並看見第二代屬靈的需要。在馬可福音第10章第15節，主耶穌說：「我實在告訴你們，凡要承受神國的，若不像小孩子，斷不能進去。」一個翻譯版本是「要承受神國的就要像小孩子一樣」，另一個翻譯是「神的國就是小孩子一樣」。至於如何效法主耶穌注重第二代事工，第一步要先調整對第二代的態度：

一、教會要改變態度，**不能像以往將第二代事工視為「重擔」**(burden)，而是要有第二代事工的**「負擔」**(burden)。不能因為小孩子不能參與服事、沒有投資報酬率而輕看第二代事工。教會必須整體改變這種觀念，父母必須看見孩子屬靈教育的重要性，也必須投入參與；同時教會領袖也要投入資源，並參與第二代事工，不能只是敷衍地用較少的資源來投資。

二、有一些教會看見青年人第二代事工可以當作接觸父母的橋樑，這是比較進步的想法，但是卻也只是被視為橋樑而已，第二代本身依然不是教會最有負擔的對象。的確，第二代事工能成為接觸父母的管道；但第二代事工本身就非常重要，我們需要把第二代事工等同其他事工，如同主看重第二代事工跟聖殿潔淨同等重要一樣。

三、看見第二代是教會未來的希望，這是每一個教會都應有的態度。「兒童是國家未來的主人翁」、「兒童是國家未來的棟樑」，這樣的口號我們都不陌生，也看見國家重視青少年的思想灌輸。同樣的，教會未來的希望就在第二代身上。因此，教會更不能疏忽已經在教會中成長的下一代，他們的心是最柔軟、最願意向主敞開的、也最容易接受信仰。如果不能抓住第二代在年幼時信仰的啓蒙期，用神的話語來澆灌他們的心靈沃土，我們就有失神給我們的託付。

四、另外，第二代雖然是未成年的信徒，但他們卻是「信徒」。我們必須改變華人傳統的觀念，覺得小孩子還不懂事，但主耶穌的態度卻不是這樣。

關心樂意接納第二代

教會中許多信徒與執事同工有一種觀念，認爲第二代事工並不重要。第二代是負擔，只會帶來教會財務上的壓力。但主耶穌提醒我們，「凡爲我的名接待一個像這小孩子的，就是接待我。」（馬太福音18章5節）

「爲我的名」是爲著榮耀歸主名的緣故；也知道這是主的心意；祂喜悅我們歡迎關心接納第二代。成人往往嫌棄小孩的幼稚、無知、麻煩，是時間與精力的浪費。主提醒我們，當教會注重、關心，願意不吝嗇地將最好的資源「投資」在年青的一代，「開發」及「發展」青少年、兒童事工，這才是接待祂，是蒙主喜悅的。

有些教會青年人可以站上主日講台與大人分享見證，這是很特別的。在日常的家庭生活中，父母願意聽孩子們分享，也知道可以從孩子身上學到很多功課。絕大部分的年輕孩子，很少機會站在臺上分享。他們靈命上的追求，大部份是從大人身上學習到。

主耶穌不但要求門徒不要禁止小孩子到祂那裡，更是教導門徒要接納第二代、向他們學習，學習他們謙卑的態度。這是我們的禱告，願教會更看見第二代事工的重要。**華人傳統觀念強調敬老尊賢，覺得第二代年輕人只有聽的份**；但是，雖然第二代年輕，不論他們多小，依然可以重生得救，我們不能絆倒他們，使他們遠離神。

「我不能說我的父母種族歧視，但事實上，他們就是。」一位年輕朋友無奈的對我說。

「在主日學裡，總是教導我們——我們愛是因為主先愛我們，因此我們要效法主耶穌愛的榜樣來愛人，不論是罪人、稅吏、窮人…」

「但是，我的父母表現出來的卻不是如此，他們希望我只與好學生做朋友，如果成績沒有拿全A的同學，就不希望我與他們成為朋友。」他以嘲諷的態度做結。

中國人的「近朱者赤；近墨者黑」深深地影響我們的觀念。注重孩子課業成績表現的父母，自然認爲沒有全A的孩子屬於「黑」的；事實上，西方教育不單單注重成績，他們的教育體系及觀念與華人或多或少有出入，他們不希望教育出「書呆子」來反而比較看重「德、育、體、群」的發展。父母若將成績標準放下，那麼你看到的可能會是另

你能打開心接納第二代及他們的朋友時，同時你也在幫助你的孩子建立「群」的生活。

一幅圖畫。**當你能打開心接納第二代及他們的朋友時，同時你也在幫助你的孩子建立「群」的生活。**

信主孩子流失有禍了

凡使這信我的一個小子跌倒的，倒不如把大磨石拴在這人的頸項上，沉在深海裡。（馬太福音18章6節）

在聖經其他幾處的經文中，很少看見如此嚴厲地指出第二代流失造成的後果。

把大磨石拴在這人的頸項上，沉在深海裡，這是當時希臘最嚴厲的懲罰，唯有殺父母、殺長輩、殺主人、叛國者，才會被處以這樣的刑罰。這不只是給當時的教訓，更是給現代教會的警惕。

主耶穌多麼重視第二代！在許多方面，大人都可以向孩子學習，特別是他們謙卑願意服事的態度。這也提醒我們，表裏不一第二代流失的原因不是教會沒有設立主日學；也不是沒有老師；沒有輔導。而是父母的行徑，使他們覺得失望。當他們來到教會時，在同儕中不受歡迎，無法打入群體中時，我們是否從旁輔助？當他們需要我們提供屬靈上的建議與幫助時，我們卻忽略了；走出教會後的父母是否有生命的見證？以上這些都是使信主的孩子跌倒流失的原因。

盼望聖靈提醒我們，也求神幫助我們，以基督的心爲心，效法主耶穌重視第二代的需要。

行動篇——小小的行動，帶來世世代代的祝福

♥心存感恩

爲孩子禱告，不論他們是在哪個年齡階段，爲著他們的成長感恩。求主讓我們能夠看見當他們在二十、二十五、三十等年歲時，神將怎樣使用他們。

📖學習經文

「主耶穌詢問富有的少年人『誡命你是曉得的：不可殺人；不可姦淫；不可偷盜；不可作假見證；不可虧負人；當孝敬父母。』他對耶穌說：『夫子，這一切我從小都遵守了。』」（馬可福音10章19-20節）

這是何等寶貴，一位年輕人從小遵守誡命追求靈命成長。但願藉著禱告，我的孩子也可以像這位少年官一樣，從小遵行主的道到老不偏離。

☺親子討論

與孩子討論，爲什麼有人願意成爲牧師、宣教士？爲什麼他們有這樣特別的感動？他們所擺上的犧牲又是什麼？他們週遭是否有人與神有很親密的關係？是否也有其他朋友遠離神？孩子對此有什麼看法？

✈實際行動

對於教會中的孩童、青少年事工內容，不論是主日學、團契、青年崇拜等等，我有什麼想法？我的孩子是否喜歡並樂於參與？如果我認為課程的設計、負責人、資源等方面不盡理想，我又可以如何投入與幫助呢？

✞禱告回應

求聖靈光照，使自己和教會都看見第二代事工的重要性。

願意更多委身於第二代事工，更積極地投入、推動、參與服事。

求神賜下謙卑的心，讓我能回轉成小孩子的樣式，如同孩子般謙卑；服事時，不是倚靠勢力，不是倚靠才能，乃是倚靠萬君之耶和華。

在教會中組織一群弟兄姊妹，願意幫助教會注重第二代。在神的恩典中與教會的領導者來討論，如何使教會更關心下一代。

✎我的禱告

8
第二代服事的傳承

「我們從這麼小的時候就學習在教會事奉。」這位年長弟兄隨手比個手勢，比劃的高度，恐怕只有七、八歲吧！

「有時幫著大人準備主日學；有時看顧更年幼的小孩，一切從我幼童時期開始，你相信嗎？」我當然相信！自從我認識這位年長弟兄，他便一直在教會的廚房服事，數十年如一日，未曾間斷。

「我的父母告訴我，這是神的居所，每個人都要有所奉獻。所以我們就學著做，一點一滴，不計較事情大小，只要有需要我們便盡心去做。」他說著說著，轉眼又處理好一包垃圾。他常常做別人不願意做的事，卻滿心喜樂。

「在教會服事就是事奉神，拋開人的眼光，一切為神！」他滿懷感恩地說：「這是我父母教導我，也是最受用無窮的事了！」

五餅二魚的故事是我們都熟悉的，這個故事不只是給大人的教訓，更是對第二代的鼓勵，第二代不但能夠參與服事更能對事工有極大幫助。

那時猶太人的逾越節近了。耶穌舉目看見許多人來，就對腓力說：「我們從那裏買餅叫這些人吃呢？」（他說這話是要試驗腓力；他自己原知道要怎樣行。）腓力回答說：「就是二十兩銀子的餅，叫他們各人吃一點也是不夠的。」有一個門徒，就是西門彼得的兄弟安得烈，對耶穌說：「在這裏有一個孩童，帶著五個大麥餅、兩條魚，只是分給這許多人還算什麼呢？」耶穌說：「你們叫眾人坐下。」原來那地方的草多，眾人就坐下，數目約有五千。耶穌拿起餅來，祝謝了，就分給那坐著的人；分魚也是這樣，都隨著他們所要的。他們吃飽了，耶穌對門徒說：「把剩下的零碎收拾起來，免得有糟蹋的。」（約翰福音6章4-12節）

一般華人教會普遍認為，第二代年紀輕缺乏屬靈成熟度，因此只有旁觀，沒有鼓勵他們投入參與。自然而然地，第二代的需要就被“忽略”了。由於第二代沒有接受好的信仰裝備與餵養，也就不見他們起來接棒加入團隊服事，形成一種惡性循環。事實上，第二代越早參與服事，不但讓他們越早有服事操練的機會，發覺自己屬靈的恩賜。對於大人來說，也可以“享受”第二代在教會參與服事所帶來的祝福。

在這段聖經記載中，我們看見一個小男孩願意付出他所有的，也看見門徒腓力有屬靈的遠見，願意把小孩帶領到主耶穌的面前，讓主來使用這小男孩毫無保留的奉獻。其實，這也是主耶穌給腓力的一個試驗與學習。因爲聖經特別說明，耶穌自己原來知道要怎樣行。換言之耶穌知道這個小男孩的存在，他卻要腓力學習如何謙卑接納他們，並讓他們參與服事。我們也同時看見主耶穌喜悅年輕第二代的奉獻，並且對他們願意獻上所有的心視爲寶貴，即便是看來「微不足道」的五餅二魚。教會對這故事都熟悉，可惜只從中看見信心的功課，卻忽略主耶穌要使用第二代的資源：讓他們參與事工，讓功效加倍，甚至造福更多的群眾。

裝備年幼的起來服事

教會普遍的做法，是讓年紀大的照顧年幼的。這做法原是好的，只是我們常忽略提醒年幼的孩子，「服事」不是一份「差事」，以及在神的眼中每一件事都重要的觀念。因此，讓年紀較長的第二代去照顧年幼的孩子，不只是帶領與看顧，更是要將聖經知識從領受到消化，應用適當程度的語言來教導。

許多教會常常找不到人手教導小班的主日學；卻忽略年齡較大的孩子可以接受裝備教導年幼的，當然他們必須有成人從旁督導。除此之外，招待、領會、司琴、敬拜團甚至清潔打掃，第二代都能參與。這並不表示可把所有的事都推給他們，我們乃是藉著參與服事來教導他們，也讓他們有仿效學習的機會。筆者看過一些暑期聖經學校，動員教會的第二代去邀請人來參加，並且在各個班次裏教導手工、布偶戲、吉他、音樂、領唱、擔任助教、分配點心等，他們都勝任有餘。暑假期間大人上班，學校放假，這時第二代的年輕人有更多參予事奉的機會。同樣的，他們更能參與短宣、社區服務，例如：爲窮人送飯、幫助無家可歸的人等等。只要有大人從旁督導確保活動安全，這些都是可以鼓勵參與的事奉。

一日，我們到動物園參觀，經過大象圍欄時，一個孩子好奇地問：「為什麼大象不逃走?圍牆明明很低!」圍住大象的不過是一道低矮的牆與小水溝。對大象而言，可輕而易舉地跨過去，難怪孩子們會問。「大象為什麼不跳過去就好？」

動物園的管理員回答：「大象從小就被訓練，這個看不見的溝渠是很深的，所以從小就不敢跨過對岸邊。」

「你不可以跟他們說喔!」管理員幽默地回頭對孩子們叮嚀。

對於許多事物的印象，我們都只著重能看見的那一面，我們的屬靈眼光其實跟大象不相上下。教會中，大人屬靈眼光很短淺，進而造成年輕一代缺乏屬靈的長遠眼光。或許我們常說：「教會裡面不能做關心社區的福音事工，因爲教會人手不足、經費不夠…。」其實眞正的原因是：因爲成年人大多患有「屬靈的短視」。

我們給自己多廣的眼界去發展屬靈空間呢？神從不限制人，反而是我們本身屬靈的短視限制了自己。

第二代服事是教會的祝福

當第二代得著鼓勵參與服事，他們的信仰和屬靈生命將被操練得更豐富。他們的服事得到教會接納時，這批新力軍也會激起教會動員服事的風氣，對其他孩子有正面的影響，譬如：參與服事的信心、信仰的肯定、屬靈生命的成長等。與此同時，啓動他們對聖經學習與生命追求的心志，使他們較不易失去信仰。又可讓他們從小就能分辨何謂「天賦」、何謂「屬靈的恩賜」，清楚知道服事不是靠才能，也曉得如何使用屬靈恩賜服事主。此時，如果連同父母、以至全教會都能夠共同服事，這會是多美好的一幅圖畫。如果第二代的家人有未信主的父母或長輩，那麼他們自己因著被激發的信心、愛心與熱忱就能帶領家人歸主，這美好的見證在教會屢見不鮮。

第二代在教會服事的表現上，不論是動機、品質、功效上都可以與大人媲美。

第二代在教會服事的表現上，不論是動機、品質、功效上都可以與大人媲美。若教會輕視，甚至不鼓勵第二代服事，這不但違反主耶穌的心意，浪費神所賜美好的資源，亦抹殺第二代靈命成長的通路。第二代越早開始服事，不僅家庭得到幫助，也使教會蒙福。

鼓勵孩子從小服事神，需要父母有樂意委身奉獻的心志。父母都會爲孩子禱告：沒有孩子時求孩子；孩子出生後，爲著他們的健康、平安成長…等等，這些都是父母爲孩子所許下的心願與所立下的誓約。這些誓約都是出於個人自願，都是關乎人與神私人的關係。

哈拿心裡愁苦，就痛痛哭泣，祈禱耶和華，許願說：萬軍之耶和華啊，你若垂顧婢女的苦情，眷念不忘婢女，賜我一個兒子，我必使他終身歸與耶和華，不用剃頭刀剃他的頭。（撒母耳記上1章10-11節）

神垂聽這位虔敬母親的禱告與哭求，我們很驚訝，神如此快地成就她的禱告；但哈拿沒有因爲神成就她的禱告讓她懷孕，而忘記她在神面前所許下的願。

次日清早，他們起來，在耶和華面前敬拜，就回拉瑪。到了家裡，以利加拿和妻哈拿同房，耶和華顧念哈拿，哈拿就懷孕。日期滿足，生了一個兒子，給他起名叫撒母耳，說：「這是我從耶和華那裡求來的。」以利加拿和他全家都上示羅去，要向耶和華獻年祭，並還所許的願。哈拿卻沒有上去，對丈夫說：「等孩子斷了奶，我便帶他上去朝見耶和華，使他永遠住在那裡。」(撒母耳記上1章19-22節)

哈拿償還了她在神面前所許的願。我們也很驚訝，哈拿也眞的願意，讓小撒母耳從小就離開父母，留在聖殿學習敬拜。我們知道神跟撒母耳有一特別的關係，從撒母耳還小在聖殿中學習時，神就與他建立特別的關係，這是因爲撒母耳的母親哈拿遵守了在神面前所立的誓約。

那時，撒母耳還是孩子，穿著細麻布的以弗得，侍立在耶和華面前。他母親每年爲他做一件小外袍，同著丈夫上來獻年祭的時候帶來給他。以利爲以利加拿和他的妻祝福，說：「願耶和華由這婦人再賜你後裔，代替你從耶和華求來的孩子。」他們就回本鄉去了。耶和華眷顧哈拿，他就懷孕生了三個兒子，兩個女兒。那孩子撒母耳在耶和華面前漸漸長大。(撒母耳記上2章18-21節)

哈拿把撒母耳完全交給神，讓撒母耳從小在聖殿服事。撒母耳從小連衣服都與一般的以色列孩童不同，他所穿的是細麻布的以弗得。但每年撒母耳的父母來看他時，仍會爲他帶來一件哈拿親手做的小外袍。這是很難得的，雖然捨不得，但還是願意按照所立的約將孩子獻給神，孩子也願意高高興興地在聖殿裏服事。而神也沒有虧待哈拿，讓她再生了三名兒子、兩名女兒。

撒母耳長大了，耶和華與他同在，使他所說的話一句都不落空。從但到別是巴所有的以色列人都知道耶和華立撒母耳爲先知。（撒母耳記上3章19-20節）

孩子奉獻禮的意義

許多教會中有嬰兒與孩童的奉獻禮，父母親很高興把他們的孩子帶到教會來，這是很感恩的，也是很感人的一幕。父母親應竭盡所能給他們孩子祝福，包括屬靈的祝福。

然而，孩子奉獻禮的意義是什麼呢？其意是在教會中認定，孩子是神給我們很的特別禮物。第一爲著孩子向神感恩；第二是信主的父母親在眾人面前公開宣告自己願意委身，過著基督徒的生活，也用聖經的原則來教導孩子，讓孩子在基督化的家庭中成長。這是一個機會，讓教會眾弟兄姊妹表達願意幫助父母親一起來使孩子在教會裡面成長。

對父母而言，這是一項很特別的儀式，讓他們在神面前重新檢視，把自己再一次奉獻給神，願意過一個與神有親密關係的生活。他們也在眾人面前重申這樣的信仰，願意照著聖經的話語來教導，在教會的環境裡使孩子從小就認識神。

這個儀式是爲了父母親與教會設立的，因爲父母親所屬的教會眾弟兄姊妹們，也願意在眾人面前認定，支援幫助父母親提供孩子一個好的機會與環境，使孩子從小就有屬靈的家，他們也重申願意幫助這個家庭在屬靈教導上有份。

聖經中也有這樣的例子，尤其是耶穌，他的父母親照著猶太人的傳統，將孩子獻給神。「按摩西律法滿了潔淨的日子，他們帶著孩子上耶路撒冷去，要把他獻與主。」(路2:22)我相信，**神重視父母在衆人面前表達的意願，神看重也喜悅我們的意願，並祝福我們的孩子**，因爲所有的父母親都願意孩子像耶穌一樣。如同聖經所描述的「孩子漸漸長大，強健起來，充滿智慧，又有神的恩在他身上。」(路加福音2章40節)

神重視父母在眾人面前表達的意願，神看重也喜悅我們的意願，並祝福我們的孩子。

當父母願意遵守在神面前所立的誓言，神的恩典就顯明在孩子身上；當我們願意把孩子奉獻給神時，就有這樣的福氣。當父母在神在人面前，透過莊重的儀式將心願表達出來，就必須持守這樣的心願。因爲父母親甚至祖父母的委身，在孩子身上都有長遠的影響。上一代願意將孩子擺上服事神，這是神所喜悅的；但是當我們許了這些願後，就必須還願，守住自己的委身。也許我們會忘記，但神不會忘記。

申命記中說到，「你向耶和華你的神許願，償還不可遲延；

因爲耶和華你的神必定向你追討，你不償還就有罪。你若不許願，倒無罪。你嘴裡所出的，就是你口中應許甘心所獻的，要照你向耶和華你神所許的願謹守遵行。」(申命記23章21-23節)這不是拿來做警告的，或是恐嚇父母親，而是提醒我們神重視我們的心願。我們不能因爲得了神祝福，卻不去還願。聖經中看重父母所許的願，我們把孩子交托給神，神讓他們從小就可以服事，神也喜悅祝福我們，難道這不是更多父母親願意做的嗎？

行動篇——小小的行動，帶來世世代代的祝福

❤心存感恩

為我的家獻上感恩，儘管不是最完美的（應該說沒有一個家會是完美的），但我們願意為神教養可以被神使用的第二代。為這樣的心志來感恩，至少我們有這樣的心志。

📖學習經文

「少種的少收，多種的多收」，這話是真的。各人要隨本心所酌定的，不要作難，不要勉強，因為捐得樂意的人是神所喜愛的。神能將各樣的恩惠多多的加給你們，使你們凡事常常充足，能多行各樣善事。（哥林多後書9章6-8節）

孩子往往是自私的，需要有人教導他們「施比受更為有福」。讓我們為孩子擁有慷慨、憐憫人的心來禱告。

☺親子討論

與孩子討論，信主與不信主的人有什麼差別？每一個人都面對世上的引誘、不誠實、道德敗壞等等，身為基督徒必須表明我們的身分，但也因此不能做一般人可以做的一些事情。聽聽孩子的看法，他們認為基督徒這樣的犧牲是否值得？

✈實際行動

計劃讓全家一起在教會中參與服事，或是在社區中幫助別人。不單是一次而已，至少一年有兩、三次全家一起服事的機會。也詢問孩子他們想做什麼，甚至可以邀請朋友一起，也找一件事工讓他們可以開始在教會中固定服事。

一起和孩子討論分享哪些是屬靈的恩賜，可以怎樣操練神所給我們的恩賜？

✞禱告回應

「耶和華我的磐石，我的救贖主啊，願我口中的言語、心裡的意念在你面前蒙悅納。」（詩篇19篇14節）

爲我自己在教會參與服事禱告。

爲自己委身幫助孩子服事禱告。讓他們從小就在服事中更認識神，滿有喜樂。

✎我的禱告

9
跨越跟隨主的障礙

「牧師。」一位中年弟兄，聚會後跑來找我。

「我很喜歡你今天的講道內容，特別是『將最好的獻給主，年輕時就要如此行。』」他說道，但卻欲言又止，看似有些保留。

「是不是有哪部分的內容，你不太同意？」我直接問他，試圖以微笑舒緩他的不安。

「是的。希望孩子能夠經濟獨立，生活無憂，不需要擔心下一代的教育費，甚至退休後的生活時，就可以專心服事。這不是我們所希望的嗎？我相信你應該懂我所說的是什麼。」他繼續說，「你爸爸對你的要求不也是這樣嗎？因為你先工作，已經奠定家中經濟基礎，所以他才贊同你出來全職服事，不是嗎？」說完，他拍了拍我的肩膀。

華語和英語教會的差距

華人教會在臺灣超過3700間，香港有1200多間，北美1300多間，新加坡則有大約380間。而華人宣教士呢？來自臺灣的大約有100位，300多位來自香港，100多位來自北美，400位來自新加坡。而來自新加坡的宣教士，又以來自說英語的會眾佔極大多數。

看著這些數據，我們不禁想問，爲何同是華人社群，差異卻如此懸殊？在香港、台灣兩地有許多教會，但是宣教士卻極少。特別是台灣，平均40間教會支援一名宣教士；新加坡平均每間教會中有一名宣教士。這其中必有許多因素：在我們的華人文化裡，甚至在不同的區域中，**是否有一些因素壓抑著我們的年輕人，甚至攔阻他們投入全時間的服事崗位？**許多極具潛能，可期待成爲未來宣教士的人，皆提及作此決定的個人難處。其中，以無法離開既有的工作崗位以及父母反對高居榜首。

是否有一些因素壓抑著我們的年輕人，甚至攔阻他們投入全時間的服事崗位？

讓我們從聖經的角度來檢討這個問題：究竟哪些原因，使得華人年輕一代不能來跟從主，不能全時間奉獻、成爲宣教士、參與教會服事？不能跟隨主不是現代才有的問題，在主耶穌的時代，當祂邀請人來跟隨祂時，也有同樣的困難。以下的聖經故事是大家都熟悉的：

他們走路的時候，有一人對耶穌說：「你無論往那裡去，我要跟從你。」耶穌說：「狐狸有洞，天空的飛鳥有窩，只是人子沒有枕頭的地方。」又對一個人說：「跟從我來！」那人說：「主，容我先回去埋葬我的父親。」耶穌說：「任憑死人埋葬他們的死人，你只管去傳揚神國的道。」又有一人說：「主，我要跟從你，但容我先去辭別我家裡的人。」耶穌說：「手扶著犁向後看的，不配進神的國。」（路加福音9章57-62節）

耶穌清楚地說明跟隨主的意義究竟是什麼。跟隨祂的人不可以有錯誤的觀念，跟隨主必須要有實際的行動；在經濟上、家庭上要負上極大的代價，也是優先次序的改變；跟隨主更具有迫切性與時效性，擺上後就不再收回的。

放棄優質生活何其難

現在華人教會與當時耶穌的時代面臨同樣的問題，屬世的財富和屬神國度之間依然存著拉鋸力。

聖經裡這位青年人來找耶穌(聖經中稱他爲富有的少年官)，他不僅有好的靈命，事業上也非常有成就。

他對耶穌說：「夫子，這一切我從小都遵守了。」耶穌看著他，就愛他，對他說：「你還缺少一件：去變賣你所有的，分給窮人，就必有財寶在天上；你還要來跟從我。」他聽見這話，臉上就變了色，憂憂愁愁的走了，因爲他的產業很多。(馬可福音10

章20-22節)

這個年輕有爲的少年人是主耶穌所欣賞的，主也愛他，因爲當守的誡命他都遵守了。用現代的話來說，這是一個理想的青年，有成就、靈命信仰也很好。相較於當今華人社會只鼓勵孩子追求名校和高就，卻不看重參與聚會與服事的父母而言，這年輕少年人正符合我們夢寐以求的標準。但我們也看見，這一位年輕人拒絕主對他的呼召，做不到主耶穌所要求的「完全人」，因爲他有很多財富，沒法放棄來跟從主。

耶穌周圍一看，對門徒說：「有錢財的人進神的國是何等的難哪！」門徒希奇他的話。耶穌又對他們說：「小子，倚靠錢財的人進神的國是何等的難哪！」(馬可福音10章23-24節)

主耶穌不單單對門徒講解細節，他還解釋**並非有錢的人就難成爲好基督徒；眞正難的，是那些依賴財富的人**。

並非有錢的人就難成爲好基督徒；眞正難的，是那些依賴財富的人。

財富可從兩方面阻攔一個人跟從主耶穌。華人的第二代普遍享有舒適富裕的生活條件，要讓他們像富有的少年人一樣：不但遵守神的話，更願意把神擺在第一位，甘心放棄現有的成就，爲主奉獻一生，這是耶穌對第二代事工的終極目的。馬可福音的記載說到，門徒分外稀奇，懷疑誰能達到這個標準呢？主耶穌回答說：「在人不能，在神凡事都能」，其實這暗示了要呼召合祂心意的第二代出來服事是沒有「不可能」的。

感謝神，當今華人教會仍有許多年輕有爲，愛主遵守聖經教導的第二代。但我們看到主的心意，是要尋找呼召，願意擺上跟從祂的人。筆者常被許多教會邀請與第二代的年輕人分享，爲的是要加強教會第二代的靈命。但是每當筆者呼召這些年輕人奉獻一生時，這樣的動作並不讓家長接納與認同。**華人基督徒父母希望自己的孩子愛主**，卻不希望孩子太過愛主。父母擔心孩子靈命的問題，卻又擔心孩子將一生獻給主。這兩者不但相互矛盾，更是一種諷刺。

我稱讚一位友人，他是一間基督教書房的負責人：「你們的父母親一定很以你們為榮，你們兄弟在不同的崗位上服事神。」

「他們從來沒有停止為我們禱告，希望我們不要遠離神，從我們生下來他們就日復一日為我們禱告，成為我們屬靈的守望者。」朋友用肯定和驕傲的語氣分享。

若現今的父母親有這般心懷，那麼相信神的禾場必定不欠缺收割的工人。

服事神會限制自己的發展

當耶穌邀請人們來跟從他時，我們看到一些人推辭的原因是「服事神不是一門賺錢的事業」。服事神絕非易事。背著主的十字架跟從他的人，都必須做出犧牲。

耶穌說：「我實在告訴你們，人爲我和福音撇下房屋，或是弟兄、姐妹、父母、兒女、田地，沒有不在今世得百倍的，就是房屋、弟兄、姐妹、母親、兒女、田地，並且要受逼迫，在來世必得永生。」(馬可福音10章29-30節)

當我們讀到這裡，心裡可能會想，這算什麼獎勵啊？耶穌應該圓滑一點，又何必嚇走那些好青年人？

時代改變，人心不變。特別是現今種種生活的需求、社會的標準、家庭的負擔成了重重纏累，似乎非要金錢才能解決。放棄高薪事業、投入全職事奉，至今仍是其中一個最難的事。於是很多父母甚至公然表示：「你可以當一個比爾蓋茲，然後爲神做比傳道人更多的事。」聽起來像是折衷的選擇，事實上，華人基督徒父母勸阻子女全職事奉，子女只要週末參與教會的服事，工作之餘參與短宣事奉，這樣就足夠了。

神的僕人未得有的尊重

「我和我的朋友們面臨最大的掙扎是……」一位高中女生對我說。

「我們的父母真是虛偽，他們是雙面人。」她難過地繼續說，「牧師，你不知道！每當我們開車一到教會停車場時，他們就變了另一種人，敬虔、愛主的標準基督徒父母……「但是，當我們一離開教會在返家路上時，他們卻變成愛批評、說別人風涼話的人。對於早晨牧師的講道信息，甚至是抱持著一種嘲笑的態度。」

究竟父母阻礙子女全職事奉的原因何在？就像上面這個描述一樣，信徒對神職人員的態度足以反應出一個事實——**華人教會對聖職人員的輕看，或對他們缺乏眞正的尊重**。華人教會傳統上強調靈性高的人必須過簡樸的生活（意即不必給神的僕人好的薪金）。

傳道人一直有“窮”的傳統形象，因此教會一般不會給他們予太優渥的待遇。爲何牧者的替換率如此高呢？他總有低於一般水準的薪金、以及同工配搭問題，以致於失意的離開教會。聖職人員大都承繼世代相傳「士大夫」的偏見，而且又不屬於「高尙專業」的行列。父母及其第二代共同認爲成功的定義就是當醫生、律師、工程師。「聖職人員就是其他領域的失敗者」的觀念極爲普遍。即使近三十年來，牧師的教育背景極度提升，有許多甚至持有專業的高等學位，這些成就都逃不過上面這些偏見的壓制。

另外，帶職事奉得到不對稱的誇耀。今日的教會，尤其是北美的教會，許多受過高等教育的平信徒們都在服事。特別是全職牧者不在時，他們爲教會獻出時間和精力，會友因此而深深受益。當我們鼓勵更多信徒同樣出來服事時，無意間也形成一趨勢，促使年輕的專業人士不再獻身於全職服事。許多華人父母這樣鼓勵他們的孩子：去當個醫生或律師，這樣仍可以在教會服事，甚至做得比全職牧師更多更好，更受敬重。

聖職工作未被視爲神聖高尙的專業，即使對信徒而言亦是如此。在美國，神職工作曾超越教師和醫生而成爲最受敬仰的專業（哈裏斯調查統計，2001）；可惜的是，這形象卻被種種醜聞和非議嚴重地破壞了。

在耶穌與父母中做取捨

　　願意服事神的年輕華人基督徒，還面對另一個困難：選擇主還是父母？傳統華人文化重視「孝道」。「孝道」體現的不只是尊敬，還要服從。有心奉獻的華人青年，面臨講求孝道的文化傳統，要怎樣才能既遵從神，又不違背父母呢？從聖經的經文中，來看神和父母之間的張力；

　　又有一個門徒對耶穌說：「主啊，容我先回去埋葬我的父親。」耶穌說：「任憑死人埋葬他們的死人；你跟從我吧！」耶穌上了船，門徒跟著他。（馬太福音8章21-23節）

　　單看這句話，一定會大感震驚；特別是華人，會覺得這句話是大逆不道的，違背我們的傳統價值。耶穌怎能如此不近人情呢？很多人會反對這冷漠、不體諒的態度。然而，我們經常遇到一些人因著父母反對而停止到教會，即使他們就快成年。另外，也有年輕人因為父母反對，而放棄全時間服事和讀神學的志願。

　　耶穌清楚地表明，我們必須愛祂過於愛任何人。在華人文化，特別是非基督教家庭中成長的基督徒，難免面對這樣的掙扎。每當筆者要在教會中分享以下的經文時，都會覺得台下的會眾是難以接受的。

　　愛父母過於愛我的，不配作我的門徒；愛兒女過於愛我的，不配作我的門徒；不背著他的十字架跟從我的，也不配作我的門徒。得著生命的，將要失喪生命；爲我失喪生命的，將要得著生命。（馬太福音10章37-39節）

背負十字架即背負痛苦重擔、恥辱和棄絕，並不是理當承受的，卻是爲了責任和義務而被迫承受。怎樣才能既尊敬神又不致對父母不敬？怎樣才能同時對神和父母都盡責？尤其當父母不明白時，我們對神的委身就是信心的考驗。同時，主耶穌也說：「先求祂的國和祂的義，這些東西都要加給你們。」信心是還未看見時就行出來，這才是眞信心；當我們願意跨出信心的步伐，神將爲我們挪走阻礙及擔憂的事。

一粒麥子

聖經的孝道是什麼？

中國人強調孝道，《曾子大孝》說：「大孝尊親，其次弗辱，其下能養。」孝道中最重要的是**尊親，不是單單供養。父母在兒女心中的地位至爲重要，物質還是其次，供養是下等的孝。**

對於孩子投入宣教事業，父母內心擔心害怕，孩子將會窮得甚至無法自養，更莫說供養父母終老。然而，跟從耶穌並不表示就可以忽略盡供養父母的責任。

舊約十誡中的「孝敬」父母英文的翻譯是「honor」，這亦顯示尊敬的重要。舊約其他地方指出虐待父親、戲笑父親、咒罵父母的要被治死，罪要歸到他身上。新約以弗所書6章2至3節說：「要孝敬父母，使你得福，在世長壽。這是第一條帶應許的誡命。」

然而，主耶穌要求跟隨祂的條件是：第一、要惱恨自己的父母、妻兒、兄弟姊妹，甚至要惱恨自己的性命。第二、要背起自己的十字架，跟在耶穌後面……等，二者是否有衝突？

聖經的言語有其特點，他喜歡以「對立」的形式突顯「比較」。例如，藉著「愛」和「恨」的對立，用「愛」表達愛得多一些，「恨」則表達愛得少一些。所以這段經文的眞正意義也可以翻譯爲：「如果誰要跟隨我，就應該愛我超過愛自己的父母——甚至超過愛自己的性命。」父母兄弟姊妹都是重要的，但比起耶穌來，他們必須變爲次要。

福音傳入中國將近二百年。雖然信主的人數奇跡般的成長，願意奉獻自己被神所用，全時間跟從他的人數仍然稀少。這是我們的文化、我們的父母造成的嗎？身爲基督徒父母，若神呼召我全時間跟從祂，我會作何反應？若神呼召我的子女呢？

台灣有個英語節目叫『空中英語教室』，很多人都曾聽過這個節目，也因它受益。它的創辦人是個美國宣教士彭蒙惠，她在一九四八年時立志做宣教士，被派到中國傳福音。由於當時的教會財務不是很好，所以規定海外宣教士需服事七年才能回國。那天送她起程的只有父親，父親說：「妳媽媽不會來，她看著船將妳帶走，她會受不了。」

在宣教的那幾年裡，她父母親分別過世，她也無法回國參加喪禮。在中國的內戰中她跟著避難，在又擠又惡臭的車廂裡，在車上大家圍著指指點點地叫：「你們看，那個金髮、藍眼的怪人，活像地獄的鬼。」然後，有人在後面扯她的頭髮，她心裡很難過，依舊擠出些笑容，因為每個中國人都是她傳福音的對象，包括這些笑她、扯她頭髮的人，這是她來中國的原因。後來她也因戰亂輾轉到台灣。

在奉獻做宣教士期間，她因執著於神的呼召而失去兩樁美好的婚事，一個是她在赴中國做宣教士時，毅然決然地放棄婚姻而選擇做宣教士；另一樁是在她決定留在台灣服事時，而放棄了另一位美國醫生…。

這是彭蒙惠寫她的宣教回憶錄的小小片段，這本書名叫《麥子裡的眼淚》，說明我們一生若不能像麥子，死了埋在土裡的話，就不能結出百倍的麥子。當彭蒙惠爲主放棄一切時，神藉著她成就了大事，這是超乎她之前所預期的。如果今日的父母親有「一粒麥子」的屬靈眼光，你所結的果實將不只在眼前。

行動篇——小小的行動，帶來世世代代的祝福

❤心存感恩

孩子會跌倒，身爲父母的也會跌倒。爲著神已經赦免我們過去的失敗來感恩，更爲自己能體會神赦免的心，也看見孩子從失敗中學習來感恩。

📖學習經文

「因爲我來是叫人與父親生疏，女兒與母親生疏，媳婦與婆婆生疏。人的仇敵就是自己家裡的人。『愛父母過於愛我的，不配作我的門徒；愛兒女過於愛我的，不配作我的門徒；不背著他的十字架跟從我的，也不配作我的門徒。』」（馬太福音10章35-38節）

身爲父母，我是不是愛孩子遠超過愛神？身爲父母本來就應該愛兒女的；但是，求聖靈來光照我，我是否愛孩子過於愛神嗎？我是否看重孩子的未來而不體貼神的心意？

☺親子討論

與孩子討論成功的定義是什麼？中國人對於年輕有爲的人的定義又是什麼？也請孩子告訴我們，我們灌輸他們成功的定義是什麼？

✈實際行動

與孩子有單獨相處的時間，從目光的接觸專注的傾聽，讓孩子知道我們願意信任他們。這讓他們瞭解父母，越來越願意聆聽他們，尊重他們的想法。

✈禱告回應

求聖靈光照我，改變自己對孩子服事的態度，讓我看見服事神就是子女孝順父母最好的表現。

求神改變我的教會、調整我們對待神的僕人的態度，願意尊重這些全時間事奉神的弟兄姊妹。找一些具體的方法表達對願意服事的弟兄姊妹的感激之心，記念他們爲神的擺上與犧牲。

✎我的禱告

教養愛主的第二代

10

準備好回答孩子的問題

「你今天為什麼又要去教會？」小兒子問道。

「今天是星期三，教會有禱告會。」我還來不及開口，大兒子就搶著代我回答。

「怎麼感覺好像你天天都要去教會?」大女兒問我，

「為什麼你不能跟別人一樣？別人的爸爸只有星期天才要去教會呀！」孩子問。

孩子常提出一些問題，即使身爲牧師，有時我也不知該如何回答。但是，我仍喜歡他們開口發問，因爲這能讓我知道他們在想些什麼。並不是每位父母的想法都和我一樣，很多大人都不喜歡孩子們問太多。面對孩子的疑惑，一些人只有兩種回答方式：不是大聲呼喝：「問這麼多幹嘛，照我說的去做！」，或者是：「不知道，我們本來都是這樣做的。」這很可惜，因爲神要給成年人，特別是父母們，一個特殊的機會對我們的第二代說話。神要我們父母做好準備，回答孩子們可能隨時提出的一些問題。

寶貴信仰一代傳一代

詩人大衛如此說：

這代要對那代頌讚你的作爲、也要傳揚你的大能。我要默念你威嚴的尊榮，和你奇妙的作爲。(詩篇145篇4-5節)

頌讚神的作爲、傳揚神的大能，不但是一項神聖傳統的建立，更是神的命令。如同一場永不止息的屬靈接力賽，透過口述來讚美、歌誦，將寶貴的信仰一代傳給一代。在過去，沒有相片、錄音帶、錄影帶等科技產品的輔助，又該如何將信仰與對神的經歷傳遞給下一代？因此，神設立一項極爲巧妙的方式，將傳講神威嚴的尊榮，奇妙作爲的責任託付給父母，由父母親向孩子講述。

我們在耶和華我們的神面前，如果照著他吩咐我們的，謹守

遵行這一切誡命，這就是我們的義了。(申命記6章25節)

摩西和約書亞特別一再提醒以色列百姓：當孩子問到有關信仰和實踐的問題時，作父母的必須預備好回答孩子。將神的作爲一代傳給一代，這是父母的職責、任務。我們回答孩子們的問題，就是謹守主的要求與一切誡命，這也算是我們的義了。

「你的第一份工作是什麼？」正在看電視的兒子，突然問我。

「你的第一隻寵物是什麼？」沒等我回答第一個問題，他又繼續問我。

「你和媽媽第一次見面是在哪裡？」他又問我第三個問題。

「你到底在做什麼？」在他試圖說出下一個問題之前，我連忙打斷他。

原來他所問一連串問題都是來自一個空的pizza紙盒，紙盒上有幾個斗大的字：「孩子與父母親一起吃pizza時，可以聊的十項問題」。

「那麼，你真的想要我回答你的問題，聽我說我的故事嗎？」了解原因後，我微笑的對孩子說。

我覺得這家pizza店頗有創意，除了作生意之外，也不忘幫助食客增進親子關係。但要回答我們的故事比較容易，因爲這是自己曾經走過的路。然而，若是孩子問及父母親的信仰時，我們必須隨時做好準備回答孩子。以下有四個關於信仰的問題，爲人父母的可以預先思考及探討的。

何謂信仰的意義目的？

問到有關信仰的核心，我們必須知道自己所信的是什麼，為何因信而執著？為甚麼有這些定律？申命記記載：

這是耶和華你們神所吩咐教訓你們的誡命、律例、典章，使你們在所要過去得為業的地上遵行，好叫你和你子子孫孫一生敬畏耶和華你的神，謹守他的一切律例、誡命，就是我所吩咐你的，使你的日子得以長久。以色列啊！你要聽，要謹守遵行，使你可以在那流奶與蜜之地得以享福，人數極其增多，正如耶和華你列祖的神所應許你的。

以色列啊！你要聽，耶和華我們神是獨一的主。你要盡心、盡性、盡力愛耶和華你的神。我今日所吩咐你的話都要記在心上。（申命記6章1~6節）

摩西重申所有的誡命、律法、典章的設立，不是阻止我們享受逸樂，而是叫我們一生敬畏耶和華，使我們的日子長久，讓神的祝福天天臨到我們。我們不但自己謹守一切的律例、誡命，更要教導孩子遵守，盡心、盡性、盡力、愛耶和華我們的神。

在兒女的教育與學術發展上，華人父母可說是專家；但在屬靈教育上，卻有許多的虧欠。我們往往忽略了子女的屬靈教育，沒有去提醒兒女要盡心、盡性、盡力去愛神，更不會主動向他們講述遵守神一切話語的原因是什麼。我們該如何提醒兒女呢？

你要把這些話不斷地教訓你的兒女，無論你坐在家裡，或行在路上，或躺下，或起來的時候，都要談論。你也要把這些話繫在手上作記號，戴在額上作頭帶。又要寫在你房屋的門柱上和城門上。（申命記6章1-6節）(新譯本)

傳講神的作爲、信仰的核心價值，是神所託付給父母的責任。

聖經告訴我們，要用各樣的方法提醒兒女。其中最好的方法就是：或行在路上、或躺下、或起來，都要**講述神的作爲，這絕對不是交給教會或青少年與輔導來做，必須由父母擔起責任。**

同樣的，當我們要孩子上教堂、參加青少年聚會、禱告會、營會時，除了告訴他們這「很好玩、可以交朋友、打發時間…」，必須認眞地向他們解釋其中的原因是什麼，也要告訴他們，敬畏神、服事神在生命中的重要性，是遠勝過學校、教育等一切。當然，我們必須告訴孩子，爲什麼我們要額外費心思，鼓勵他們每日靈修和參加聚會。**傳講神的作爲、信仰的核心價值，這是神所託付給父母的責任。**

慶典節日的意義何在？

「我不喜歡傳統節日，當然也不喜歡慶祝，因為這都只是一種對過去的緬懷。」甫認識的年輕朋友，開始對我訴說：

「但教會裡卻有這樣多的慶祝活動，每次都要大肆慶祝。我真的很不喜歡這種慶祝活動。」他抱怨著。

大多數的老基督徒都知道，我的新朋友所說的是事實。在教會中的確有許多慶祝活動，如復活節、感恩節、聖誕節…等等。身為基督徒，除了跟著慶祝之外，對於這些節日的認識有多少？譬如舊的時代為什麼要守逾越節？父母必須向孩子說明此信仰傳統的重要性。

在猶太人傳統中，有許多歷史悠久的慶典與節日，這些節日是神藉由摩西命定的，當中最為人所知的就是逾越節。摩西命令以色列人以特定的食物、用餐方式、服裝等等守這一年一度的逾越節，目的就是要世世代代紀念神在那一夜的拯救。還同時也給猶太人父母一個特別的機會教導孩子，神在這個晚上所行做的神蹟奇事；他們藉此晚會的進行儀式與全家人聚集在一起，傳講神的作為，這是慶祝逾越節最重要的意義。

日後，你們到了耶和華按著所應許賜給你們的那地，就要守這禮。你們的兒女問你們說：「行這禮是甚麼意思？」你們就說：「這是獻給耶和華逾越節的祭。當以色列人在埃及的時候，他擊殺埃及人越過以色列人的房屋，救了我們各家。」（出埃及記12章25-27節）

基督徒不守逾越節，但在教會裡也同樣設有洗（浸）禮，聖（主）餐、復活節、聖誕節等，這些都是為教導和紀念主耶穌而設的。傳承信仰的方式不只是教導聖經、背誦金句、聆聽資訊、和上主日學而已。假日節期的慶祝和各種特別的禮儀，都是豐富的信仰資產，也是最好的機會教育。

我們都認爲自己太忙碌，又誤以爲孩子的年紀太小，更糟的是以爲他們沒興趣也不明白，所以不會主動和孩子分享這些傳統節日的由來與重要性。透過教會豐富的傳統，可幫助孩子對信仰有更深認識。不論在哪一個國家，都有慶祝復活節或聖誕節的聚會與活動。因此，父母應該把握時機教導孩子，解釋這些傳統節日的由來。

為何要如此認真服事？

「你既然已經是教會的牧師了，為什麼還要經常去不同的教會講道，這不是很麻煩嗎？」當我跟他們道晚安，正準備熄掉房間的大燈時，兒子問我。

「為什麼不能只在一間教會講道就好？你真的需要這麼做嗎？」另一個兒子立刻追問，甚至沒給我回答的機會。

孩子問的問題，也是父母親必須回答的第三個問題：「爲何我們要認眞服事神？」

以色列人進入應許之地前，摩西發佈一道命令，要他們在得到應許之地後開始實行——就是他們要將一切頭生的都獻給主。

你要把所有頭生的奉獻給耶和華，也要把你一切牲畜中所有頭生的小牲口奉獻給耶和華；公的都屬耶和華。凡是頭生的驢，你要用羊羔代贖；如果你不代贖，就要打斷牠的頸項；凡是你兒子中頭生的人，你都要代贖。日後你的兒子若是問你們：「這是甚麼意思？」你就要回答他：「耶和華曾經用大能的手把我們從

埃及爲奴之家領出來。」（出埃及記13章12-14節新譯本)

「爲甚麼要贖回長子？」當孩子們看見父母把一切家裡頭生的牲畜，甚至頭生的長子，都要獻給主，他們必定有很多疑惑。於是摩西要求以色列父母必須預備好，隨時解答孩子的疑惑。這也是神給以色列父母教導孩童的機會，經由這個特別的奉獻，父母可以告訴孩子，爲什麼對信仰這麼認眞？將家中所有的生命都獻給神，這不僅是個儀式，而是每個家庭的大事。頭生的牲口歸神，長子必須代贖——表示以色列人對神拯救他們離開埃及的感謝。

作爲現代的信徒，**我們的兒女也需知道，爲什麼我們要認眞委身地事奉神**？爲什麼父母親要花許多時間精力在教會？爲神犧牲值得嗎？爲什麼有十一奉獻？我們必須讓孩子知道我們對信仰的認眞，也要讓他們知道這樣的擺上並不是白費，不是要讓別人看見而讚美我們的好行爲，而是我們願意爲了神甘心樂意這麼做，而且這是我們應做的本分。

神在我們的生命中成大事

「…這就是我的得救見證，所以你們現在應該瞭解，我這麼愛主熱心服事的原因了。」一位弟兄結束他的見證分享。

「哇！」仍沉浸在故事內容的弟兄姊妹們，不由自主地發出讚嘆。

「我要回去和我的孩子分享這個故事」一位姊妹說到。

「我想，與我的得救見證相比，妳自己的故事會更吸引他

們。」主講的弟兄回答，「妳的孩子們最想聽到的是，上帝在妳的生命中做了哪些改變，而不是在我或是其他人的生命中所做的。」

「想想神在我們生命中成就了什麼事？」這是父母親應預備回答孩子的問題。

教導第二代最有力的工具，乃是我們自己的故事。

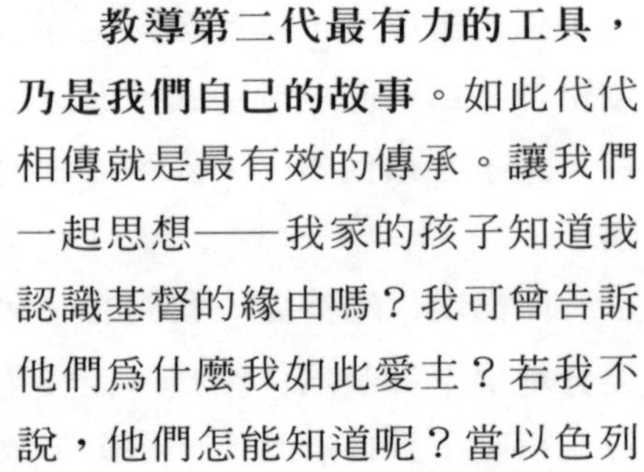

教導第二代最有力的工具，乃是我們自己的故事。如此代代相傳就是最有效的傳承。讓我們一起思想——我家的孩子知道我認識基督的緣由嗎？我可曾告訴他們爲什麼我如此愛主？若我不說，他們怎能知道呢？當以色列人過約旦河時，約書亞令他們拿十二塊石頭，每支派取一塊石頭，從河床中央到岸上，這些必須是大石頭才能在河裡豎立起來。

約書亞把他們從約旦河取來的那十二塊石頭，豎立在吉甲。約書亞對以色列人說：「如果日後你們的子孫問他們的父親說：『這些石頭是甚麼意思？』那時，你們就要告訴你們的子孫，說：『以色列人曾經在乾地上走過了這約旦河。』因爲耶和華你們的神在你們面前使約旦河的水乾了，直到你們都過了河，好像耶和華你們的神從前對紅海所行的，在我們面前使紅海乾了，直到我們都過了河一樣；好使地上萬民都認識耶和華的手，是有能力的手，也要使你們永遠敬畏耶和華你們的神。」（約書亞記4章

21-24節）(新譯本)

這十二塊石頭被豎立在河邊。下一代的以色列年輕人看到這些石頭時，一定會充滿疑問與好奇，促使他們回家問父母，這十二塊石頭被擺放在吉甲有什麼意義？這成爲父母最直接見證分享的機會。當初神帶領他們走過約旦河，如同當年他們的祖先離開埃及過紅海一樣，親身體驗神偉大的作爲，這十二塊石頭就是一項印記。這些石頭將成爲兩代間的話題，不單單只是路邊的紀念碑，更是屬靈標記，用來紀念神所行過的奇妙神蹟奇事，並且世世代代記念保留下去。

講故事是最有效的方法，也是道德教訓與教導的傳遞。在**每一民族文化中，核心價値觀念的延續方式，都是透過故事的傳達**，一代傳到一代。在華人文化中，我們也是透過故事講述的方式，來教導孩童一些道德上的價值觀念，如孔融讓梨——教導孩子要禮讓不要自私，兄弟姊妹彼此間要相親相愛。科技發達的現代，雖然有各式的電影與電視節目，我們仍要向孩子們講故事，特別是聖經故事。很多孩子對於聖經故事內容，或是耶穌門徒的名字，都沒有什麼印象。這表示在傳講故事方面，我們還有很多的虧欠。

我要開口說比喻；我要說出古時的謎語，是我們所聽見、所知道的，也是我們的祖宗告訴我們的。我們不將這些事向他們的子孫隱瞞，要將耶和華的美德和他的能力，並他奇妙的作爲，述說給後代聽。（詩篇78篇2-4節）

我們不只是要講解神的律法，更要用生動的比喻方法，將耶和華的美德能力並奇妙作爲講述給後代聽。當父母不跟孩子說故事，不與孩子分享神曾在他們生命中做了哪些改變時，自己就會漸漸忘記神交托的命令。因此，父母必須將神的作爲述說給後代聽。我們的家中都有許多的照片、飾物、紀念品等等，我們可曾解釋它們的意義？它們不只用來當裝飾品而已，更要成爲見證，述說過去神怎樣幫助這個家解決難題。設置這些物件的目的，就是爲了留作紀念和引發問題。

基督徒父母必須預備好，回答第二代以上這些相關的信仰問題。在家中教導孩子們，信仰是什麼？實踐出來的好處是什麼？我們對神的信心與委身的原因又是什麼？神成就了什麼？這都是不可避免的責任。當孩子提出問題時，就是與他們分享神在我們生命和家庭中美好作爲的最好機會。要把握良機，也要告訴他們，若要繼承並且傳承神所賜豐盛的祝福，就必須保持敏銳的心靈。別逃避，做好準備。當孩子發問時，就回答他們所預備好的答案！

行動篇——小小的行動，帶來世世代代的祝福

❤心存感恩

爲著神在我們生命中所做的改變、所施行的拯救、甚至夫妻的認識過程等等，都在神面前獻上感恩。

📖學習經文

「這代要對那代頌讚你的作爲，也要傳揚你的大能。我要默念你威嚴的尊榮和你奇妙的作爲。」（詩篇145篇4 -5節）

如果我們沒有天天稱頌讚美主的習慣，又怎麼能夠與別人分享我們對神的敬畏與讚美呢？讓我們從今天開始，天天稱頌神，也要永永遠遠讚美神的名！

☺親子討論

與孩子討論什麼是生命中最重要的事？家庭、工作、金錢、健康、還是喜樂？過去我的價值觀是什麼？從何時開始，我的價值觀改變了？

✈實際行動

父母要樂意回答問題。在過去一週中，我們曾否對自己感到懊惱，因爲當孩子向我們提出問題時，卻跟孩子說：「我現在沒空，等下再談吧。」然後再沒重提。從今天開始好好地回答孩子的問題。倘若不懂得如何答覆，不妨直說，並試著去爲他找尋問題的答案。

✞禱告回應

在我的家中是否有特別的慶祝節日方式，以提醒年輕的孩子，神如何帶領這個家？從現在起，找出合適自己家庭，簡單又特別的方法：如在生日卡寫上聖經經文，以基督教週曆手冊當禮物等等。透過這樣的方式，成爲最直接的見證。

每週試著分別出一段時間來與孩子們聊天，瞭解孩子與神的關係，聽聽他們心目中的上帝具有怎樣的形像。這段時間不是用來做嚴肅的信仰教導，只是單純的去聆聽，認識與參與孩子們在信仰中的改變與成長。

求神常藉孩子的問題使我們全家一同分享的神作爲，也求神讓我們作父母的不斷追求靈命長進，以幫助孩子們更認識神。

求神幫助我看重節慶和紀念日，藉它們把信仰、文化及情感等傳遞給下一代，藉以提升彼此間的溝通。

求神使我不輕看孩子們的任何問題，不再以忙碌爲由拒絕回答。

✎我的禱告

11
為孩子的婚姻立界線

「我從小在教會長大，一直被教導：『信與不信的不能同負一軛』。到了可以開始約會的年紀時，教會只有兩位年紀相仿的弟兄。」一位已有三名成年子女的母親說。

「與非基督徒結婚會有什麼困擾？結婚對象為什麼一定要和我擁有相同信仰和價值觀的人？老實說，在當時我根本沒有想這麼多。一遇到喜歡的對象就嫁了，不是基督徒也沒關係。」

「現在輪到女兒跟我說，她覺得教會的男生太呆板，在教會不太可能遇到她喜歡的…。多麼熟悉的論調呵！當年我也曾和父母說過同樣的話。」

「我真心希望女兒能夠擁有比我自己更好的婚姻生活。我不希望她像我一樣，有相同的遺憾。在結婚對象上，我們必需慎重選擇。」

持守共同的信仰

前文提到，神的心意不只是要祝福我們這一代。祂的誓言是爲世世代代而立，祂也要求我們世世代代服事祂。若要世世代代服事神，父母就必須有共同的信仰。在堅持選擇共同的信仰配偶這個議題上，父母及孩子們又該如何盡己之責，才能蒙神祝福呢？

當我們的下一代到了交男女朋友的年齡，**選擇一位愛主的弟兄或姐妹，是奠定孩子未來一生最重要的決定**。天下沒有父母不爲孩子終身大事操心，因爲我們清楚知道擁有一位神所預備的伴侶是神莫大的祝福。但在實際生活裡，爲人父母者都會面對許多棘手的問題：孩子的交友對象、一生伴侶的選擇，都不能太奢望孩子能按照我們的心願，因此許多父母最後只好放任孩子自由選擇與非信徒結婚。尤其是遷居海外的華人，如果是在非基督教的國家居住或是附近沒有教會，孩子要找一般的主內朋友都很困難，更遑論找出符合心目中理想的對象！他們的婚姻選擇，似乎就更艱難了。

聖經中以色列人的情況與身在海外的華人一樣——散佈在世界各個角落。神不但有計劃的提醒他們不要被異俗流風同化；更重要的是，祂也要求他們在婚姻上不與外族通婚。聖經多處提到不能與外邦女子結婚，更指出不能與外邦女子結婚的原因以及嚴重性。

亞伯拉罕帶領全家跟隨神的引導，離開本族本鄉。當妻子撒拉死後，他面對最大的問題就是傳宗接代。神已經爲他預備了一個兒子以撒。爲了以撒的婚姻問題，亞伯拉罕要求他的僕人以利以謝代爲尋找兒媳。從聖經中亞伯拉罕與以利以謝的對話裡，看見他對神所持守的信實，正是我們可以學習的寶貴功課。

亞伯拉罕年紀老邁，向來在一切事上耶和華都賜福給他。亞伯拉罕對管理他全業最老的僕人說：「請你把手放在我大腿底下。我要叫你指著耶和華天地的主起誓，不要爲我兒子娶這迦南地中的女子爲妻。你要往我本地本族去，爲我的兒子以撒娶一個妻子。」僕人對他說：「倘若女子不肯跟我到這地方來，我必須將你的兒子帶回你原出之地嗎？」亞伯拉罕對他說：「你要謹慎，不要帶我的兒子回那裏去。耶和華天上的主曾帶領我離開父家和本族的地，對我說話，向我起誓說：『我要將這地賜給你的後裔。』他必差遣使者在你面前，你就可以從那裏爲我兒子娶一個妻子。倘若女子不肯跟你來，我使你起的誓就與你無干了，只是不可帶我的兒子回那裏去。」(創世記24章1-8節)

堅持選擇配偶的原則

如果**父母不主動對子女講述配偶選擇的要求，就等於放棄教導的立場和原則**，默認孩子可以無條件自由選擇配偶。在亞伯拉罕與忠心老僕人的對話中，我們一起來看幾個重要的原則：婚姻配偶的選擇是非常慎重的事，亞伯拉罕把這事看爲極重要，因此，他把這件事交給最信任、最忠心的老僕人以利以謝去辦，亞伯拉罕要求以利以謝「把手放在我大腿底下」這個動作代表著當時文化中的最高承諾。

亞伯拉罕並不是對自己兒子以撒的信心不夠，只是他深知道，即使當地迦南女子的條件再好，若不信靠耶和華，將來必定會影響兒子以撒敬拜服事神的心。而且這位他理想中從本家來的未來媳婦，必須願意跟著以利以謝來到迦南地，從此不能再回到娘家，才符合亞伯拉罕的條件。換言之，這名女子必須有極大的信心，在還沒見到以撒之前就願意過來。這表示她認同亞伯拉罕的信仰：能離開本族本家，前往神將指示的地方。**亞伯拉罕的堅持是有共同的信仰及對神一致的信心。**

亞伯拉罕的堅持是有共同的信仰及對神一致的信心。

亞伯拉罕承認一切都有神掌權，有沒有適合的人選是次要，但對於神的要求，亞伯拉罕是絕不更改的。「神必差遣使者在你面前。倘若女子不肯跟你來，我使你起的誓就與你無干了，只是不可帶我的兒子回那裏去。」(創24:7-8)亞伯拉罕相信神一定會預備一切，即使沒有人選，或是沒有人願意一起回來也沒有關係，最重要的是遵行神的要求。

從亞伯拉罕在堅持要有共同信仰及信心的配偶上，可以看見亞伯拉罕對神的信心，以及堅守神的應許與帶領，也看見爲什麼神的祝福會延續到他的後代。

外邦女子引誘離棄神

另外，我們回到聖經的原則。神禁止以色列人娶外邦女子，也是神給以色列人婚姻上的提醒。當以色列百姓在曠野時，假先知巴蘭引誘以色列人違背神的律法，跟外邦摩押女子行姦淫，因此神的咒詛臨到他們。所以摩西屢次警告以色列人不可「又為你的兒子娶他們的女兒為妻，他們的女兒隨從他們的神，就行邪淫，使你的兒子也隨從他們的神行邪淫。」(出埃及記34章16節)

波斯王朝時代，猶太百姓回歸耶路撒冷時，祭司以斯拉看見以色列人並未遵循神的律法，依然娶外邦女子為妻。

那些日子，我也見猶大人娶了亞實突、亞捫、摩押的女子為妻。他們的兒女說話，一半是亞實突的話，不會說猶大的話，所說的是照著各族的方言。(尼西米記13章23-24節)

尼希米如此激烈的反應，不只為了保持民族的純正性，更大的主因，乃是與外邦人通婚所生的孩子們不再操希伯來語文，無法認識神與熟悉神的話語。

為什麼神一再禁止以色列人與外邦女子通婚？參孫是一個很好的例子。參孫是士師時代以色列人的勇士，因為迷戀外邦女子大利拉，說出了自己力大無窮的秘密，使自己一敗塗地被非利士人囚在監牢，不能忠心完成神的託付。另一個例子是所羅門王，這個神所鍾愛又有智慧的王，晚年因寵愛許多外邦女子，被她們誘惑去隨從別神(列王紀上11章4節)。所羅門沒有持守對神的信仰，不只使他個人靈性墮落，他的家人也墮落了，甚至讓整個以色列國都墮落了。耶和華因此對他發怒，帶來以色列國分裂的惡果。

信與不信的結婚代價

一位年輕的姊妹跟我說：「你知道嗎，我相信主耶穌是我生命的救主，可是…我已經好一段時間沒去教會了。」

「為什麼呢？發生了什麼事嗎？」我問她。

「基督徒不能與非信徒交往甚至進入婚姻，這是聖經的教導，我知道。基督徒的人數少，比較不好找對象，我也能夠瞭解。但是我完全不能理解的是，那為什麼就非得要把一間小小教會中的男女關係弄得這麼混亂不可！」她嘆息著解釋：

「我們教會的青年團契裡，A姊妹與B弟兄過去是男女朋友，另一位C姊妹與D弟兄也是，後來雙雙分手。但過了一段時間後，A姊妹跟D弟兄在一起，C姊妹則與B弟兄交往……」

這個分享在當今華人教會中，的確似曾相識。當教會裡青年人較少的時候，這位姊妹所看見及擔憂的也可能在你的教會裡發生。環境總是容易影響我們孩子的選擇，也會動搖他們的信心。**當我們回到聖經、回到神的心意、耐心等候及禱告是很重要的信心操練。**

當我們回到聖經、回到神的心意、耐心等候及禱告是很重要的信心操練。

公平地說，聖經中不是對外邦女子懷有「歧視」或成見，如摩西的妻子米甸女子西坡拉就非以色列人，神也接納她。我們看見在歷史上，外邦女子也佔有很

重要的地位。耶穌自己的家譜裏面，就有喇合，一位極有信心的外邦女子，她的信與義屢屢受到稱讚。還有一位我們很熟悉的人物是外邦女子路得，和嫁給外國人作爲皇后，進而拯救了所有的以色列人的以斯帖。這就是表示神的心意並不是禁止與外國人或外邦人結婚，而是不能因此離棄信仰、離開神。

聖經創世記的一段對話，足以表明一個母親的心聲；利百加向丈夫以撒說了一段語重心長的話：

我因爲這些赫人女子，連性命都厭惡了。如果雅各也從這地的女子中，娶了像這樣的赫人女子爲妻，那我活著還有甚麼意思呢？（創世記27章46節)」(新譯本)

這一段話描寫一位母親的痛。因爲先前沒跟兒子溝通，而讓兒子娶了外邦女子。這不只是婆媳相處不融洽的問題，更是由於文化習俗、價值觀等差異互相不能接納。這是聖經中第一次提到這些難處。不只是一般婆媳不和或僅是牽扯到一個家庭的問題而已，就連大兒子以掃原本應得長子的雙份祝福，也因他娶了外邦女子而失去了。這雖是母親利百加的心機及手段使然，但她的話也不全無道理。**一個信神的人與非信徒結婚，必會產生更多婚姻的問題**。以掃娶外邦女子爲妻，進一步離開神的心意。雅各終是娶了本族的女子，他的家庭始終是認識神，神也爲以色列家帶來大大的祝福。在不同的選擇上，看到不同的結果，而你的選擇是什麼？

義和不義有什麼相交

配偶的選擇不但關係到當事人雙方一生的幸福，對於親子兩代之間的相處、與神的關係都有極大的影響。哥林多後書6章14、15節「你們和不信的原不相配，不要同負一軛。義和不義有什麼相交呢？光明和黑暗有什麼相通呢？基督和彼列（彼列就是撒但的別名）有什麼相和呢？信主的和不信主的有什麼相干呢？」這段經文雖沒有直接說明婚姻的問題，卻明確地指出，**信仰的差異會影響服事態度與婚姻的幸福**。

面對子女配偶的選擇，亞伯拉罕的堅持値得身爲華人父母效法。很多個案顯示，父母在孩子小時，沒有教導灌輸家庭共同信仰的重要，也沒用神的標準教導孩子如何選擇終身伴侶。有些父母，爲了子女的婚姻尚未有著落而心急，於是棄守堅持孩子的配偶要有共同信仰的底線。孩子們擁有幸福美滿的婚姻，是所有父母最大的安慰。從孩子出生開始，父母兢兢業業省吃儉用，希望給孩子最好的教育與最好的人生預備。栽培孩子學習十八般武藝，早早擬定好長遠與周全的計畫。但是令筆者困惑的是，面對影響下一代一生最關鍵的婚姻選擇時，父母卻讓子女自由做決定。不只是父母隨子女自己做決定，教會內幾乎也不太注重教導青年們如何選擇好的朋友，或裝備父母親如何教導下一代選擇敬虔配偶的重要性。

當然，可能是現實的環境及資源限制：有時因著教會資源的不足、有青少年的父母親人數太少，沒有合適的師資任教，加上主日講臺也不多主動提出相關觀念，有的也只是輕描淡寫。更何況主日講臺只是單向的教導，不是一個合適溝通的平臺。縱使如此，爲人父母的，從現在起挑起教育的責任，將我們所持守的原則教育下一代，讓自己的家成爲溝通的平臺。

為小孩祈求終身伴侶

「牧師，你相信嗎？」這位姊妹刻意壓低聲音對我說，「這件事讓我覺得很丟臉，我不想讓任何人知道。」

「我的兒子告訴我，他打算搬出學校宿舍，要與兩位年輕女孩一起在外頭租公寓。」當她這樣說時，她的丈夫轉頭看往別處，期望藉此掩飾自己的尷尬。

「我不敢相信，這種事怎麼會發生在我的兒子身上。他從小就在教會長大，他應該很清楚這樣做是不討神喜悅的。」她繼續說。

「但是，你們曾否教導他，聖經中關於性的正確觀念？」我反問他們。

這對無奈的夫妻，只是注視著彼此，並聳肩，沉默以代。

時下的年輕人受社會的歪風影響甚深，男女之間的關係愈來愈「隨性」，這絕不是神起初設立婚姻的心意。許多破碎的婚姻因而叢生，造成不可計數的悲劇。爲人父母與孩子探討過聖經中的性觀念嗎？其實在孩子開始有兩性觀念的時候，就是教育時機。華人父母要學習正確地與孩子「談性」，性是神賜婚姻最美的禮物；但若在婚姻之外，就是罪。

我們忍不住要問，現今這個時代、社會及文化中，**父母親真**

有影響孩子交友、找對象、談戀愛和配偶抉擇的能力嗎？答案是肯定的！我們最大的力量來自禱告，在孩子還小的時候就開始爲他們的終身伴侶祈求。父母也不要放棄責任，應屢屢提醒孩子們，與共同信仰的異性朋友交往的重要理由，因爲他們都可能成爲將來結婚的對象。也要在適當時候教導他們持守對婚姻忠實。孩子自己要明白，神會爲他預備最好的人生伴侶。

可惜有些父母對婚姻存負面態度，認爲命好才會嫁得如意郎。基於自己的婚姻不理想，也不是這麼美滿，因此一心期望孩子的婚姻不重蹈覆轍就好。有些父母親錯誤地認爲，與有錢、有發展前途的人結婚最重要；信仰反而變成次要或者不重要。這種勢利的想法和平日教會的教導前後矛盾。父母一方面從小教導孩子好好上主日學，讀神的話語；但在婚姻的選擇上，卻只看重外貌、金錢、社會地位等等。它豈非暴露出我們的表裡不一，令孩子無所適從，質疑我們信仰的根基。如果因爲我們不教導孩子，有關神對於婚姻的要求，那麼孩子們自然不明白神的心意。他們會在一般人當中交友擇偶，最後可能選擇了不合神心意的婚姻。如此一來，父母反而導致他們承受多大的虧損啊！

這是個婚姻不被尊重的時代。現代人對於婚約、男女性關係不重視，又生活在「合則來不合就離」的社會。基督徒父母更需教導孩子什麼才是適合神心意的配偶。

行動篇——小小的行動，帶來世世代代的祝福

❤心存感恩

為孩子已經成長到開始對異性產生興趣的年紀來感恩。

📖學習經文

「你們中間若有缺少智慧的，應當求那厚賜與眾人、也不斥責人的神，主就必賜給他。」(雅各書1章5節)

為孩子們需要神所賜的聰明智慧來禱告，求神讓我們也有同樣的智慧與判斷力，在教導孩子的使命上做得妥當。求神給孩子們在交友的選擇上，多有智慧。

☺親子討論

聽聽孩子的想法，他們認為好丈夫與妻子的標準是什麼？夫妻有相同信仰的重要性與價值是什麼？提醒他們，不單是具有相同的信仰，對主耶穌的熱忱與擺上也必須要相仿。他們是否認為可以與不信的人交往？還是在交往之初就該以信主的弟兄姊妹作考量？

✈實際行動

再次邀請孩子的朋友到家中。

計劃準備一份禮物，在研讀完本書之後送給孩子，代表父母已經完成本書的閱讀，並藉此對他們在過去這段時間幫助我們共同學習表示感激。

✞禱告回應

現在起就爲孩子們現在與將來交友的對象禱告。

爲孩子能夠聖潔不受誘惑試探禱告，也讓他們知道你每天都爲他們禱告。

不要太古板說教，可以換個方式，要求聽聽孩子對異性的看法，要求將來有更多機會來討論他的見解。

下定決心常爲孩子的婚姻禱告。並且教導他們禱告，祈求神預備敬虔的配偶，同時也要求孩子自己爲將來的伴侶保持聖潔並充實自己。

跟孩子討論好配偶的必備條件。教導他們知道另一半將對他們的人生成敗產生決定性的影響。

求神幫助我在孩子面前值得敬重與信賴，能以開放的態度聆聽孩子的心聲。

✎我的禱告

12
走出信仰的溫室

記者：「你在十六歲時曾在這本雜誌透露，身為虔誠的基督徒，你在婚前會保持操守。你到今天還守著這個承諾是吧？」

張德培：「是的。」

記者：「你的隊友們支持你的信念嗎？他們有沒有因此而讓你難堪？」

張德培：「我想每個人多少都有些不同，只是我個人覺得神要我這樣做。這是我結婚時，希望能和妻子彼此分享的事。」

(《Sports Illustrated》2003年四月刊)

走出信仰溫室的孩子

眾所周知的網球手張德培，是位敬虔的基督徒。在這段訪問中，我們看見張德培的信仰立場及執著。身處在誘惑滿佈的廿一世紀，堅守自己的信仰原則實在不易。我們要問的是，爲什麼張德培仍舊能持守對婚姻的承諾？如何讓孩子出了溫室之後，依舊對神忠心？

孩子一旦入了大學，父母是又開心又憂心。喜的是孩子在學業上有所成就；憂的是孩子就要開始他們獨立生活的新篇章。孩子的信仰及生活，是否會因出了溫室而迷失？

孩子從小就跟著父母親上教會、參加主日學、少年團和主日崇拜，這些教會活動或許已成爲責任或例行公事。也許我們的孩子是在教會長大，都已受洗，甚至已是少年同儕們的領袖。我們看著他們成長，見他們讀經禱告，認識他們的朋友，當他們外出時叮嚀回家的時間。華人父母總是無微不至地照料孩子。

相較於其他民族和文化，華人父母享有對子女極大的「主宰權」。有時，我們自傲教育方式高人一等，因爲華人似乎培育出許多品學兼優的好孩子。但來自北美的報告頗使人不安：**華人教會的年輕人有極高的比率，在上大學後就停止去教會了**。雖然沒有人就此流失率進行長期的追蹤研究，但最感同身受的是一般服事青少年的牧者，他們看著這些孩子流落與徘徊在教會外。

我們在屬靈上對子女的培育方式究竟出了什麼問題？從踏入大學開始，我們的第二代就被推進一個屬世的環境，一個公然與基督教敵對的教育體制。儘管我們幾番努力和預備，他們對耶穌基督的信心仍被動搖。在孩子出門獨立之前，基督徒父母能擁有孩子生命中的十八年歲月，何以我們的努力不足以更強更有效地影響第二代，使他們的信心能在此關鍵時期綻放？

在這方面，我們可向但以理和他的朋友們學習。他們知道如何持守對神的信心，讓信心在成長過程中成爲生活的根基。我們都非常熟悉舊約但以理的故事，卻忘了是什麼因素塑造但以理的信心。他的信仰在經歷被擄之後，以及被巴比倫王逼迫他信仰別神時，仍得倖存。讓我們再來讀這些事蹟：

王吩咐太監長亞施毗拿，從以色列人的宗室和貴胄中帶進幾個人來，就是年少沒有殘疾、相貌俊美、通達各樣學問、知識聰明俱備、足能侍立在王宮裡的，要教他們迦勒底的文字言語。王派定將自己所用的膳和所飲的酒，每日賜他們一分，養他們三年。滿了三年，好叫他們在王面前侍立。（但以理書1章3-5節）

但以理和他的同伴們所面對的巴比倫王宮，就如同我們孩子進入的大學生活。我們的年輕人面對同樣的處境，他們離開我們所提供的「信仰綠屋」，將要步入的世界是要試圖破壞他們的信仰教育。

他們所處的環境，企圖促使他們忘記自己蒙召的身分。他們除了被迫更改名字，還要食用敬拜偶像的食物，目的是要他們認同巴比倫的文化，並以此取代敬拜神爲的思想生活方式。可是，但以理在巴比倫的敗壞文化仍能持守以神爲主的信仰原則。今天，我們對兒女信仰生活的期待不也是如此嗎！

敬虔生活是個人選擇

我們必須要教導孩子，時時刻刻執意讓主居首位。立定志向敬虔愛主，尊神爲大 。但以理即使在巴比倫王的控制下，仍立志不以王的食物來玷污自己，「立志」兩個字就是代表自己已經下定決心，堅定要如此行也清楚如此行的代價。在同一個經節裡，兩次提到「玷污自己」：一次是自己不玷污自己，另一次是請求別人不玷污自己——所以他不但自衛(Active Avoidance)——主動地不做玷污自己的事；同時他也防衛(Passive Avoidance)——不讓別人玷污他。但以理把自己看爲聖潔歸於神的人，在意識上，他認定自己是完全屬神的。網球手張德培就持守信仰的「立志」，以至再壞的環境及同儕壓力都不會動搖他的心志。

身爲父母，我們當爲孩子提供一個有聖經教導、團契、和敬拜體驗的教會。當然，所有的些機會和活動，都不足以取代他們個人對主耶穌有眞摯的信心，以及與主每日同行。孩子應當知道，要過**眞正敬畏神的生活完全是他們個人的決定**，是他們與神之間的關係，而**不是爲了他們的父母而做**。他們也該瞭解，聖潔生活始於家。身爲父母親，我們自己應該立下好榜樣，讓孩子們知道禱告和靈修是生活中重要的一部份。

反觀，孩子跟我們到教會，不表示就有眞摯的信心，或眞的與神同行。父母不該自欺欺人，以爲孩子肯到教會就肯定愛神；直到他們因無人督促，停止去教會時才大感驚訝。

當孩子還在家時，讓我們積極地鼓勵他們參與各種相關活動，利用機會建立和堅固對神的信心。鼓勵孩子出席團契和崇拜、參加營會和退修會，參與短宣事工。

堅守一生敬虔聖潔

「爸，你知道我有多少朋友會喝酒嗎？」大女兒對我說，

「不要驚訝，面對事實吧！」她接著說，

「那妳自己對喝酒的看法是什麼？」我沒正面回答，反而問她，不希望以一種牧師佈道的口氣與她說話。

「喝酒其實是許多基督徒生活的一部分，這個行為本身是中性的，沒有對或錯，但是現在許多教會卻把喝酒視看作罪。」她向我說出她的想法。

「那麼一夜情、婚前性行為呢？」我繼續詢問她的意見。

「這兩件事根本不能相提並論。持守聖潔是神的要求，每一位基督徒都必須做到。」她自信的對我說。

「我完全同意妳的想法。」我微笑回應她，這也是我第一次深刻的體會到，我女兒的屬靈生命更加成熟了。

過敬虔的生活不是單靠個人的意志決定和良知，它需要的是信心。

我們做父母的有必要坦誠告訴第二代，**過敬虔的生活不是單靠個人的意志決定和良知，它需要的是信心，很大的信心！**無論少年人或成年人都是如此。

要知道，我們的過犯、在教會裡的爭執、說三道四、和在教會的個性衝突，第二代都看在眼裡。因此我們需要他們明白，要

下定決心過敬虔聖潔的生活必須要對神有信心，絕不只是口裡談談、嘴裡說說而已。

社會文化敗壞，年輕人是否能持守信仰，堅持聖潔生活呢？我們又能如何幫助第二代，立定志向過聖潔生活呢。但以理遠離父母親，與他的家庭信仰文化脫節，時年14至17歲間的青少年階段。他能夠在巴比倫的異文化中出淤泥而不染，憑藉的就是對神絕對的信心，完全的委身和對聖潔的堅持，這是值得我們學習的。

屬靈光景非個人隱私

年輕人要堅持信仰不能單靠孤軍奮鬥，而必需有屬靈同伴。但以理有三個能一起代禱支持的朋友，他們能彼此分享屬靈價值觀，分享絕不妥協的堅持。我們確實需要屬靈夥伴，即使我們常覺得個人的屬靈光景是個人的隱私，卻仍會請別人爲自己的事工與要做的事情禱告。屬靈同伴帶來屬靈的力量，面對壓力時能以禱告來彼此扶持。

明智的父母都敏銳地察覺「同儕壓力」是造成青少年酗酒、性濫交、嗜毒等不良行爲的最大因素。但往往忽略同儕壓力帶來的正面影響，就如同但以理和他的三個主內朋友保持純潔一樣。

務要再三地請求

「當我的孩子進入大學後，我們發現，他開始以身為華人為恥，甚至當我們出現在校園時，他更覺得丟臉。」一名媽媽難過的說，眼淚都流下了。

身旁的姊妹安慰說：「沒關係，每一位年輕人都需要時間建立自己的民族身分認同感。」

「只要孩子能繼續上教會就該感到安慰。」另一位姊妹嘗試讓她不要如此憂慮。

第二代的失落期，長與短，重與輕各有不同；然而父母親必需耐心地接納他們，等待他們走過失落期，並求神幫助他們找到自己的定位。

另外，當子女離開家到外地深造時，作父母的忙著爲他們安排住宿、交通，卻常忘了爲他們找屬靈的家和屬神的朋友。孩子屬靈的歸屬感愈大，就愈容易也愈快找到「定位」。這定位包括在神眼中的角色、民族身份的認同、自我形象等。我愼重建議父母親，預先打電話尋找在那新城鎭的教會和基督徒，與之交談，告之我們的孩子就要到那裡去了，請求（是的，要請求）他們加以照顧，並儘速使孩子投入他們的團契。這些事絕對不能順其自然。

屬靈的友誼不是指那些同出同入的友好關係；而是指能在靈性上彼此激勵的友誼。父母不可能親自爲孩子挑選朋友，但卻可以做好必要的聯絡網，以確保孩子參加校園團契；在他們抵達新地方的第一個星期就有可連絡的人，崇拜的教會，和能投入參與的團契。

華人父母一般忽略友誼的建立對孩子成長的重要。當然，我們鼓勵孩子結交學業成績優良的朋友；但**我們曾否指出他們朋友的屬靈特質，鼓勵子女向他們學習和仿傚呢？**

討神喜悅也討人喜愛

但以理卻立志不以王的膳和王所飲的酒玷污自己，所以求太監長容他不玷污自己。神使但以理在太監長眼前蒙恩惠，受憐憫。（但以理書1章8-9節）

負責監管這些年輕人的太監長居然恩待他們允准過聖潔的生活，這多麼不可思議。如聖經所言：「人所行的，若蒙耶和華喜悅，耶和華也使他的仇敵與他和好。」（箴言16章7節）

是的，當我們敬畏神，讓祂居首位時，神就祝福我們。誠如箴言書所說：「敬畏耶和華就是智慧的開端」。但以理如此行，神也賜給他特別的智慧。看看那些獲得成功的人，不一定只是會讀書。人際關係好，常常是成功的眞正要素。我們也許覺得在當今社會無法持守聖潔的生活，或者當我們持守的時候就受到虧損。在這樣的環境裡，但以理這位在異文化下的第二代，竟然能夠保守自己仍爲神使用。他的心志、屬靈同伴圈、及神所賜的美好人際關係，都是我們可以效法和極力追求的。

聖經形容耶穌的成長說：「耶穌的智慧和身量（或作：年紀），並神和人喜愛他的心，都一齊增長。」（路加福音2章52節）讓我們也以此提醒第二代，提醒他們銘記於心，學習如何敬畏神，以神爲首，不輕視人。因爲耶穌的成長與成熟，正是身量和人際關係並進的。

我相信基督徒父母若閱讀、討論、甚至背誦箴言書、解釋傳道書、親子間談論各自的成敗經歷，這都非常有幫助。不但能堅定我們的信仰立場，還有助於傳達我們的處世經歷和信念給下一代。

今天有許多人只堅持信仰，卻跟人相處不來，這樣的人我們可能都領教過。怎樣才能既尊敬神又被人接納，這的確需要許多智慧。我們必須警醒不讓人覺得自己獨善其身，要讓人既看見我們有道德的準則，又仍喜歡與我們為友。

> 學習甘心謙卑地服事神和人，是學習建立人際關係和技巧的終生功課。

我們要鼓勵年輕人多在教會服事，與人互相交往。因為**學習甘心謙卑地服事神和人，是學習建立人際關係和技巧的終生功課**。這必能討神喜悅，討人喜愛。

機會和人際取決於神

教會的青年輔導對孩子說，「你不要誤會，你媽媽的個性有一點直，使得人家都怕她。」

年輕的孩子笑一笑：「我媽就是這樣子。」

青年輔導繼續說：「我知道你媽媽的心地善良，她要求別人，也要求你一定要出人頭地，但至少你知道他是愛你的。」

聖經中約翰與雅各的母親到耶穌面前來要求耶穌，希望她的孩子一個坐耶穌的左邊，一個坐右邊，其實我們不該責怪這位母親的請求，她已經把最寶貴的兩名孩子都交給了主。從經濟的考量來看，她期望兩個兒子養老的期望都已經奉獻了，所以就要求自己的孩子能爲主所用。相信有更多的父母親像西彼太的妻子一樣，想鼓勵自己的孩子更多的擺上讓神使用，卻忘了其他人的需要。

華人父母特別注重孩子們的學術成就，很遺憾，優秀的學術成果不等於事業上能平步青雲。就像上面那段對話，母親對孩子的要求似乎只是「成績」與「成就」，她沒有留意自己的人際關係。孩子求學及成長期間，我們往往忽略告訴孩子一個事實：「成功的人未必是個好學生」。考試成績不盡理想或考不上名校，都不見得就不能成功。其實成功的要素是契機和人際關係。

我又轉念：見日光之下，快跑的未必能贏；力戰的未必得勝；智慧的未必得糧食；明哲的未必得資財；靈巧的未必得喜悅。所臨到眾人的是在乎當時的機會。（傳道書9章11節）

機會和人際完全在於神，絕不是人們以爲的機率或運氣。

蒙神喜悅的人際關係

人所行的，若蒙耶和華喜悅，耶和華也使他的仇敵與他和好。（箴言16章7節）

你所做的，要交託耶和華，你所謀的，就必成立。（箴言16章3節）

但以理和屬靈同伴將主擺在首位，遵行旨意過著聖潔的生活，神就動神奇的工作，使他們在太監長面前蒙恩惠受憐憫。我們也看見其他許許多多類似的例子：約瑟、尼希米，在外邦的國王前神使他們人緣亨通。從聖經例子來看，神的確祝福我們，使我們能在神面前過個聖潔的生活，在人面前成爲好的見證。

教育孩子成功踏入大學門檻的同時，可否也教育他們持有堅定的信仰？我們的第二代在我們眼裡都非常成功，但是按聖經標準來測度他們與神與人的關係，是否在神眼裡也一樣成功？

行動篇——小小的行動，帶來世世代代的祝福

♥心存感恩

為著孩子的一切感恩：除了外顯的良好學習能力與成績表現，也為著孩子能盡自己最大的能力來與同儕相處等等，向神獻上讚美。

📖學習經文

「膏油與香料使人心喜悅；朋友誠實的勸教也是如此甘美。你的朋友和父親的朋友，你都不可離棄。你遭難的日子，不要上弟兄的家去；相近的鄰舍強如遠方的弟兄。」（箴言27章9-10節）

這一段是忠告朋友的重要性，朋友誠實的勸教是如此甘美，你的朋友和父親的朋友，都不可離棄。為著孩子的交友狀況禱告，不只現在擁有主內基督徒朋友，還能同奔信仰天路；也求神預備，將來孩子長大離開室友、團契的朋友時，也都能有美好的團契關係。

☺親子討論

孩子對未來有怎樣的憧憬？大學想讀什麼科系？畢業後想要從事什麼樣的工作？華人總認為惟有讀某一些科系才有「錢」途，但是孩子們卻有不同的想法。讓我們試著去聽聽孩子的想法，也向孩子們解釋我們的憂慮是什麼。

✈實際行動

孩子希望父母能公平、不偏心對待家中每一個成員，我們是否在不經意中冷落其中一位孩子？我們必須檢討自己和每位孩子的關係。

我孩子的人緣如何？讓我們思考如何在教會中學習服事，如打掃、在廚房或主日學中幫忙教導孩子有更美好的人際關係。

✞禱告回應

若想要孩子過聖潔的生活，作父母的就必須先學習成爲聖潔。讓我們祈求神使我們渴慕追求聖潔。

讓我們每日爲兒女禱告，不只爲他們的健康、智慧和平安，也爲保守他們能勝過各樣試探。

讓我們告訴兒女有關貞潔的意義，聖經要求保持貞潔的原因爲何。跟孩子討論色情影片、書刊、遊戲、甚至有色笑話和言語所能造成的傷害。讓他們談談自己如何對付「性」誘惑。

✎我的禱告

13
豈可緘默不言

「你們的命真好，能在國外這麼好的環境出生長大！」

「你們可知道我們多辛苦才能讓你們有機會在這兒求學和享受。」

海外出生成長的第二代華人經常會聽到父母們這類的嘮叨。

「哎！除了中國餐和中國功夫之外，我對中國一點都不認識，何必管那麼多？」

「沒錯，我跟父母爬過萬里長城，但畢竟我是在這裡出生長大的，而他們出生在中國，我始終無法把自己視為一個中國人。」

這是移居海外的父母與第二代華人的心底話，眞實反映出他們對自我認同的困惑。

海外出生的華人基督徒第二代，似乎對「中華民族」的意識淡薄，並且對中國以至世界的福音事工顯得冷漠。實際上，華人第二代與華人教會之間，已被一道無形的長城分隔開來。長城攔阻下一代被神使用的機會。在教會中成長的第二代華人基督徒，大都沒有被提醒、也沒有被挑戰來回應神的呼召，更遑論投入全職服事與宣教的行列。

解救猶太人的功臣

聖經中有三卷書——以斯拉記、尼希米記、和以斯帖記，常被人忽略。一些人認爲這三卷書只是記述以色列的歷史，缺乏有力的神學基礎，因而懷疑它們的屬靈重要性。

這三卷書記述三位名留青史的傑出人士：以斯拉、尼希米和以斯帖。他們的信心和對神的委身，使他們的事蹟成爲以色列歷史的轉捩點。當初以色列人因拜偶像應驗了先知耶利米的預言，被擄至巴比倫七十年。而這三位人物就是在異族流亡歲月期間生長的。

他們生長於遠離故土的異鄉，以現代的眼光來看，可謂是第二或第三代僑民。即便如此，當國人灰心時他們卻仍然保持堅定的信心。他們在神的計劃中成了重要的器皿：是神爲回歸耶路撒冷的猶太人靈命復興、爲耶路撒冷城牆的重建、爲猶太人免於滅族大屠殺而預備的。

宗教狂熱者或白癡

以斯拉、尼希米和以斯帖除了都生長在相同的歷史時段外，亦擁有許多共同點。

以斯拉名字的意思是「耶和華已幫助」。他生長在祭師之家，是知識分子，有敬虔的家教，也是專職抄寫摩西律法的文士。以斯拉熱忱教導摩西律法。若生於現代，他必定會是一位火熱的神學生、傳教士或牧師。

以斯拉的生命最震撼人之處是教導百姓關於神的律例和誡命的熱忱，他對回歸耶路撒冷者的靈命復興有極深切的負擔。他的生命和事業全然反映出他對教導的執著：導引人們向神聖潔。當以斯拉返回耶路撒冷不久後便得知，包括祭司和利未人在內，有許多神的百姓與當地拜別神的外族人通婚，這事令愛神的以斯拉深感驚懼憂傷。於是責備他們、帶領他們知罪、認罪並悔改，甚至休了他們的外邦妻子。

按照現今標準，我們大概把以斯拉這樣熱情的人視爲宗教極端分子，甚至狂熱者。但是以斯拉卻因熱心傳講並活出神的話，而昂然卓立於聖經之中。教人疑惑的是：「一個遠離耶路撒冷的人，怎會對故鄉同胞——猶太人的靈命復興，仍保有這麼堅定的使命感和強烈的負擔呢？」

相對的，我們自問：「我們是否也能以同樣的熱心，關注自己同胞的靈命復興？」另一個值得深思的問題是：「以斯拉和尼希米這麼得異邦的王信任，又在王宮裡享有許多榮華富貴，是什麼讓他們甘心放下權勢，自願下放到離波斯大帝國遙遠的小角落去作份「小差事」——教導猶太人認識神？」

華人圈中，有很多出自名校、擁有良好教育背景、有專長、事業前景如日中天。我們**爲什麼單要爲事奉神，而放棄得來不易的功名**？請問：要他們像以斯拉那樣放下高官厚祿，返回耶路撒冷，只當個傳道人、宣教士、教會幹事、文士、律法師值得嗎？**大才小用不令人惋惜嗎**？

有位媽媽說：「這是我第一次為我的孩子感到驕傲…」

她停頓了一下，我們也不知道這位身為兩個大孩子的母親要說什麼，她繼續說，「我為他們感到驕傲，因為他們在信仰上比我更堅強更愛主。」

這是一位母親因爲孩子愛主而發出的讚揚及自豪。爲人父母的我們，若是也經常如此鼓勵孩子，相信孩子服事神的心態及動力會更加堅定。

尊榮者對苦難的回應

以斯拉還不是那段時期唯一的怪胎，我們還找到他的複本——尼希米。尼希米也生長于波斯。他名字的意思是「耶和華安慰」。對尼希米的背景我們所知不多，他有一兄弟叫哈拿尼（尼希米記7章2節），大概是耶路撒冷的統管者。又因爲他本身是亞達薛西王的酒政，很可能有猶太王族血統。

身爲王的酒政，尼希米與王或王后都非常親近。他也像以斯拉一樣，深得王的寵信。尼希米記一開始，記述尼希米的兄弟從耶路撒冷來，向他報告耶路撒冷的毀壞，和先前回去的人所遭受的苦難。尼希米因這消息大感悲慟，撕裂衣服、在頭上撒灰，他身在遙遠的異國京城，卻仍對祖國的同胞的災難感同身受。

尼希米在王宮裡服侍王，享盡一切舒適。我們不禁又要問：任此高職，享此奢華及安逸，何以仍會如此在意遠處祖國人民的處境？甚至為他們的苦難有此激烈的哀痛反應？

請留意尼希米在請求波斯王恩准他回耶路撒冷之前的禱告。他未去見王之前，先祈求神在王的心裡動工，好准許他所求。正如以斯拉記一再提及「神的手」；尼希米記的特色則以「紀念」最為顯注。我們看到尼希米真不愧是「禱告之子」，他不住地求神紀念百姓們所受的苦，更是每時每刻都求神紀念他們。我們也看到神一再地應允尼希米的禱告。

亞達薛西王允許尼希米回猶大，還立他作猶大地的省長，並且賜他權柄隨意動用王的資源來修建城池。即便如此，他仍面對許多內憂外患。敵人千方百計破壞他們重建的計劃；也有人嫉妒他的地位；還有更多的人，不願意讓猶太人返回故都重建舊城。尼希米不斷遭受挫折，他的百姓又時常灰心。因此，他不但要克服敵人的攻擊和灰心的百姓所造成的壓力，還得設法調動人手和不停地激勵百姓，才得以繼續這項神聖的工程。

十二年選擇

清末民初，第二次大戰的中國，正值慈禧太后弄權。她煽動義和團，把惹起中國紛亂的緣因，都推到外國人身上，並掀起反基督教大屠殺。許多在中國的西方人被殺害，而宣教士也不例外。那時一天之內，曾經創下殺死四十六個傳道人的高記錄。

當時有位著名的美國宣教士，手裡拿了一封遺書。這份遺書是由四十六位被殺的宣教士中一位女教士，臨死之前寫給她在美國的兒子，她把傳道人的痛苦和危險告訴她的兒子，並且催促他準備來中國當宣教士。

在動亂的世局裡有誰不自保，怎麼還叫兒子來宣教呢？這不是羊入虎口，送兒子來自殺嗎？然而這封信的結尾竟是：「等我們這批宣教士死了之後，好有人可以繼續宣教工作。」

這位女宣教士的兒子讀這封信的同時，正在往中國的途中。

尼希米爲了服侍回國的同胞，放棄皇宮的上好薪俸，來到耶路撒冷，當個僻遠地區的省長有12年之久。以官途升遷的慣例而言，遠離權力中樞，他的選擇在人眼中同樣是「自殺式」的。但是尼希米在這段時間留下好些卓越的事跡。其間，尼希米不但完成重建城牆的工程，也表現出對百姓眞實的關懷。

表面上，重建城牆所需的不外計劃和資源；事實上尼希米要處理的還涉及許多人事問題。其中有因利益不均而抑鬱者，有在貧富日益懸殊中落入貧困者，有既得利益者不能再壟斷資源、圖利自肥…總之，所有社會和經濟問題都一股腦浮出檯面。尼希米必須妥善解決這種種問題，好使人心凝聚、眾志成城，讓修建工程的進度順利推展。

我們從中能看到尼希米的一些人格特質：

第一，無論對人或對事，凡有困難，他都會先轉向神，向祂傾訴懇求。不拘是在王宮或工地，在大眾面前或私下，他都是個敬虔禱告的人，隨時隨處尋求神的智慧和帶領。

第二，尼希米雖貴爲省長卻從不濫用職權。他甚至不吃省長的奉祿，也不利用職權向百姓訛索圖利。

第三，尼希米自己放下高貴身段以身作則，和百姓一同動手工作。以斯拉專注於屬靈和信仰的教導與復興；尼希米則專注於社會的重建與重整，也充份表現出屬靈領袖在屬靈和信仰的教導與靈命復興上的努力。在他完成硬體建設後，接著展開一系列的社會精神重整。以斯拉規劃處理經濟和信仰上的律法、守安息日、異邦通婚等事務時，尼希米則協助以斯拉宣讀和闡明律法上的指示，下令慶祝住棚節和全國禁食。尼希米和以斯拉這兩位領袖都是充滿熱情和全然委身。他們不只對以色列百姓有強烈的同胞愛，對靈命上聖潔的要求也同樣殷切。

「她對在大公司找一份工作沒有興趣，她對我說，她想要去非洲參加和平工作團。」這位朋友不解地對我說，他的女兒剛從名校畢業，她想找任何高薪的工作都輕而易舉。

「我的女兒卻反問我，『你以前不是告訴我，沒有任何事情比服事神更重要嗎？』」這位望女成鳳的爸爸無可奈何的說。

當你的孩子有這樣的抉擇時，你是快樂？抑或沮喪？何不試著將焦點放在萬王之王的身上。服事我們的神，這位尊貴的君王，比任何職業都更加尊榮，不是嗎？

王宮裡的明亮之星

在這段風雨如晦的時期，還有一位出色的人物——以斯帖，她挽救全以色列人免遭種族滅絕的噩運。這段史蹟發生在主前460年，相信是在尼希米和以斯拉之前。以斯帖就是「星」的意思，暗示她天生麗質，俱備了當波斯王后的美貌和風采。

以斯帖原是個孤女，被堂兄末底改收養爲義女。以斯帖是個非常美麗的少女，更重要的是她潔身自愛仍保持處女之身。雖然以斯帖記全書沒提及神之名，但神手所作的工卻隱隱可見。她因美貌被召入宮，縱使必須隱瞞自己的種族身份，神的手仍讓她成爲候備的王后，以致成爲受盡恩寵的王后。

如同以斯拉和尼希米，以斯帖，一個猶太女子，在非常時期被神賦予非常的角色，以至能在神特別的計劃中運用她的影響力。末底改提醒以斯帖，她的地位及權力是爲了肩負重大的責任，成爲神合用的器皿。「…誰知你得了王后的位分，不是爲了挽救現今的危機麼？」(以斯帖記4章13節)

這段話眞實地反映以斯拉、尼希米、和以斯帖三人的處境。他們**特殊的身份地位，被神使用來完成特殊的大工**。他們在準確的時間裡被擺在適當的地位，使神的旨意得以順利成就。

其實他們個人都是受召肩負其獨特的責任和使命。以斯拉獻身於百姓的靈命復興；尼希米盡其十二年埋首整頓回歸者的社會福利和信仰生活；以斯帖則解救整個以色列族群免受滅族之禍。

禱告是完成主工的動力

我們或許想問，以上三位到底俱備哪些條件使他們能被神重用。的確，以斯帖擁有美貌，且端莊賢淑，神以此使她贏得王的寵愛以便拯救其族人。以斯拉是位學者，他擁有才學智能和聰明；尼希米生長於王室，從小就接觸宮中的弄權舞勢，對如何運用權力和發揮影響力瞭如指掌。而我們看到這三人的特長皆被神使用且委以重任，成爲神的器皿。

其次，從這三個人中，我們看到：以斯帖——她兼備信心、智慧與勇氣，心繫同胞的安危，不以自己的榮華富貴爲滿足。以斯拉——他對神話語的熱誠驅使他傳講神的話。他知道是神的手在他前面開路，與他同在。尼希米——他能以神的心懷看事情。當他聽到神的子民受苦的消息時，即刻感同身受，他的惻隱之心帶給他服事神的熱忱和耐力。

然而我們必須知道，這些人的**服事並非單憑熱心，而是用持續的禱告，才獲得驅動和指引**。這些以禱告做出來的工，不是出於自己，而是出於神的催逼。尼希米就是一個禱告勇士的典範。他做的每一件事和說的每一句話都是他對神的禱告：懇求神紀念他，紀念祂的百姓。

服事並非單憑熱心，而是用持續的禱告，才獲得驅動和指引。

其次，他們還擁有一個共通點：以斯拉、尼希米和以斯帖都生長在異邦，在異國的王宮享有極高的影響力，卻都保有強烈的民族意識。以他們的處境，當然可以有藉口置身度外，不理會族人所遭受之種種災難。但是他們都一致選擇了「看見」、「聽見」、「認同」、並盡全力「參與」。

在以斯帖的故事中，末底改義正辭嚴規勸以斯帖的那番話，讓我們特別扎心：「這時你若是緘默不言，猶太人必會從別的地方得著解救，那時你和你的父家就必滅亡。」它揭示了一個再明顯不過的事實：**即使我們不願意回應神的呼召來參與事工，神最終還是能照常完成祂的計劃**，只是我們個人失去大好機會與神同工，成就一件大事業。所以，如果我們肯敏感於神的心意，回應祂的呼召，祂會裝備、使用我們，叫我們生命的意義在祂的計劃中得以圓滿完成。

也許你很好奇：爲何這三位在外國成長的人如此關心距離他們那麼遙遠的耶路撒冷和猶太地以及猶太人呢？熱心地自願放棄正在享受的榮華、權勢和如日中天的威望？你和我，是否也能夠考慮犧牲我們的時間、權力、金錢、事業來讓神使用？是否神也多次給我們每個人列出類似的考題呢？

尼希米、以斯拉、以斯帖三人都回應神的呼召，見證神大能的手，完成他們在歷史上的使命。我們不禁要問，究竟怎樣才是有使命感？究竟神會給我什麼使命？

關於尼希米、以斯拉、以斯帖三人的父母親，聖經中並沒有特別提及。如果我們是他們的父母，是否以擁有像他們三人的子女爲榮呢？筆者堅信，他們三人就是神所謂眞正愛主的父母所調教出來的「神的種子」——敬虔後裔，這是神對所有基督徒父母由衷的期望，你是否也阿們、贊同呢？

行動篇——小小的行動，帶來世世代代的祝福

❤心存感恩

為著本書的學習來感恩，也為著自己與孩子的生命中，所看見的改變來感恩。

📖學習經文

「耶穌說：『撒但（撒但就是抵擋的意思，乃魔鬼的別名）退去吧！因為經上記著說：當拜主你的神，單要事奉他。』於是，魔鬼離了耶穌，有天使來伺候他。」（馬太福音4章10-11節）

☺親子討論

主耶穌在地上的服事也遭遇魔鬼的引誘與迷惑。讓我們隨時儆醒守望，再次求主使用我們，也使用我們的孩子，讓他們知道敬拜主、事奉祂是一生中最重要，最有價值的事。也在神面前立下心志，願意繼續與孩子分享敬拜、服事神的喜樂和永恆意義的寶貴與重要。

✈實際行動

配合教會宣教計劃，安排孩子參與短宣。不論在社區服務或到不同城市或其他的國家服事，都可藉此打開孩子的心竅，暫時放下物質生活的安逸享受，親身體驗不同地區文化、風土人情及社會階層各方面的需要與缺乏，直接經歷神的大愛和大能。對拓展神的國度，宣揚福音更賦使命感。

✞禱告回應

每日都要到神面前爲孩子禱告，願神照著祂自己的心意與方式使用他們。也求主保守我不做阻擋神計劃的人，即使不知該怎麼鼓勵，也不致攔阻孩子們服事神的心志。

求神教我明白基督徒的眞正意義就是全人屬神，其中沒有模稜兩可的生活方式。我願重新檢討我的生命重心，學會以神爲生活和教育的中心及主軸。

助我更敬虔愛神，敬畏神，兢兢業業地教育孩子，向神負責。

我願成爲孩子的「末底改」，常常提醒他們對神的責任。更要緊記孩子是神的產業，賜給我們暫時管理，隨時預備好能放手交出來給神使用。

我願意相信人生最大的福氣來自作神兒女並服事神。我願意兒女們同得這福氣。我要成爲一座使孩子走近神的橋樑，而非使孩子與神分隔的長城。

透過閱讀本書的內容與討論，與一、兩對基督徒父母親分享我們的心路歷程與我的見證。

此章是本書的最後一篇。若是以主日學或讀書會方式閱讀本書的，盼望閱讀完畢後，仍能常與同組的成員分享，彼此鼓勵在教會中能積極參與服事，特別是投入第二代的事工，回應神的美好旨意。

我的禱告

《附 錄》

教養愛主的第二代

小組使用指引

前　言

希望你能與弟兄姊妹定期分享所閱讀的課文內容，藉主日學或團契小組的討論，讓基督徒父母關心第二代的靈命，因為父母的成長將會影響孩子及教會整體的未來。

父母聚集在一起閱讀，研討神的話語，學習並應用於日常生活中。小組員彼此支援，不讓一人孤軍奮戰，比較有經驗及孩子年紀稍長的父母，要幫助年輕或有年幼孩子的父母，坦誠分享教養的智慧與經驗。筆者盼望因著小組的聚集使教會堅立，第二代事工能成為教會優先獲得重視的事工。最重要的是，幫助孩子盡心、盡性、盡力地愛主。

介　紹

本書專為主日學、小組、讀書會的基督徒父母而設計。建議每週以一小時、一章為原則，事前先閱讀。成員中有一位帶領者，他的角色是帶領整個小組，並兼顧教材的每一部分，讓組員的討論能順利進行。除了帶領者之外，也需要另一位願意委身負責聯絡的成員，他不需在討論中帶領聚會，也不必擔心如何使用材料；因為每一章都已提供足夠的資料，帶領者基本上都能胸有成竹。

小組成員用此書，能增進彼此親密關係、主裡長進、參與教會服事。另外，我們也可以邀請新朋友參加討論，與他們分享福音。這樣的聚集，更是一次的敬拜，榮耀歸給神。

成員在討論前，事先看過討論內容，思考提問，並願意在日常生活中實行。小組成員至少2-3人，最多4-6人。強調小組間的互動，領導者注意儘量不讓小組成員太多。在禱告與討論時，考量成員間的熟悉度、孩子年紀的差異性，然後再分成各小組，讓大夥們充分感到自由舒適與親密和諧。

進行方式

●彼此分享（10分鐘）

鼓勵成員至少分享一件事：過去一週裡，神在孩子與自己身上所成就的，並為此事獻上感恩。

●誠心禱告（5分鐘）

向神獻上讚美，用提供的經節禱告，求神保守當天的討論與學習。

●聖經原則（10分鐘）

帶領者把本週閱讀的內容，作摘要分享，不需重述全篇內容，目的喚起成員的印象，把對自己有幫助的關鍵部分，用自己的話語陳述。

●相互討論（20分鐘）

書中每一章後都附有討論問題。讓大家有充裕時間分組討論，組長可以按組員的需要和背景，挑適當的問題討論，不一定需要討論每一個問題，重點是要讓大家都有發言的機會。

●團體動力（10分鐘）

倘若只教導知識，卻沒實際行動是沒幫助的。小組成員應當決定在未來一週內，共同來完成一件事，這樣容易讓組員有收穫。有些行動需要較長時間預備，可以預先請一位弟兄或姊妹負責，追蹤並報告進度。

●代禱扶持（5分鐘）

小組結束前，再一次將每位成員帶到神面前，為著所討論的事項及所得的提醒，求主幫助。散會後，可立下心志去力行或改變。為著小組團體行動的計劃仰望神，個人可提出自己的代禱事項。我們也提供一兩段經文，願神藉這段時間，使大家在主裏互相扶持。

感謝帶領者

為著神所給予你的負擔，所看到的異象，願意起來幫助圍繞在你身邊的眾家庭而深深的獻上感謝。你將著手而做的，不但將影響你的事工，也會使凡與你接觸的人都受益。為你禱告，也願神賜福給你。

參考事項

1. 為你的擺上獻上感恩。你不單只是關心自己孩子的靈命成長，你也看見教會中需要有人來協助其他人，看見第二代事工的重要性。願神祝福你手所作的工，求神賞賜你的服事與擺上，相信討論小組結束後，你必會是收穫最豐富的那一位。
2. 小組長應該委身，常為每一位參與小組的成員禱告。神要使用你，不只能影響別人的生命，也在孩子一生中成為重要的人物。讓你的配偶和孩子知道你現在做的事，請他們為你禱告，也請教會的長執們，在禱告中記念你所做的事。
3. 關於孩子的種種私密的個人事，在父母分享及尋求幫助的同時，所有組員都應視之為「個人隱私」，以尊重的態度聆聽及分享。因此，帶領者在組員中要約法三章，確定小組中所分享的，不被其他組員傳出去，小組要建立「彼此尊重，超強信任」。
4. 在小組人數的規劃上應當有彈性，以配合大家的需要為主。
5. 在小組的成員中，母親參與的人數一定會比父親多。試著考慮專門設計一組是給爸爸的，讓他們也有機會分享彼此的心聲。

1 美麗與祝福的起點

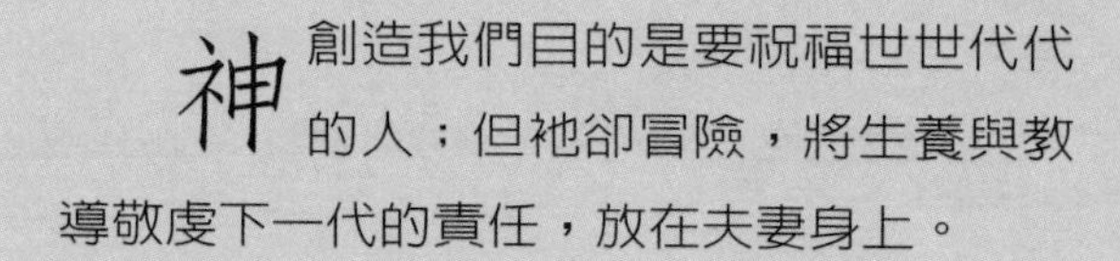

神創造我們目的是要祝福世世代代的人；但祂卻冒險，將生養與教導敬虔下一代的責任，放在夫妻身上。

●彼此分享（10分鐘）

每一個人對孩子都有自己的期望，我們試著把期望放下，觀察孩子的長處是從神而來的，我們為此來感恩，也為我們與孩子的關係來感恩。我的孩子是否有什麼屬靈的恩賜嗎？讓我們就為此來感恩。

●誠心禱告（5分鐘）

「寫信給我親愛的兒子提摩太。願恩惠、憐憫、平安從父神和我們主基督耶穌歸與你！我感謝神，就是我接續祖先用清潔的良心所事奉的神。祈禱的時候，不住的想念你。」（提摩太後1章2–3節）

讓我們為著神的恩典獻上感謝：因祂的揀選，使我們認識祂，並成為神的兒女，又使我們得以事奉祂。

●聖經原則（10分鐘）

參考本週閱讀內容，作重點提示。

●相互討論（20分鐘）

1. 我是否是家中第一代基督徒？如果是的話，能否體會到自己有多蒙福？（有那些福氣？）如果不是，家族中信主的有幾代了？第一代和第二代信徒在信主和認識主的得救經歷，及信仰的心路歷程有何異同？
2. 羅馬書11章16節提到：「*所獻的新麵若是聖潔，全團也就聖潔了；樹根若是聖潔，樹枝也就聖潔了。*」家中因為一代信主，整個家族也能夠成為聖潔；未信主的家人，也因信主的家人成為聖潔。家中是否還有未信的？我們對於未信者的看法及態度是什麼？神是不是因為我們家有人信主，即以不一樣的眼光來看這些未信主的？
3. 我們是不是有其他的家人也是信主的？在我們的家譜、家族裡，有誰也是信主並熱心服事主的？如果你是第二代信徒，你認為父母在信仰上給了你什麼影響？
4. 為什麼很多信徒甚至牧師傳道還是有不信或不敬虔的下一代？雖然這是個難題，關鍵何在？我應該如何去幫助孩子和未信的家人也能夠認識主、跟隨主？
5. 「得救」是要個人心裡相信口裡承認，那是純屬個人的抉擇，要怎樣確保第二代心甘情願接受救恩？如果接受了又該怎樣使他們敬虔呢？

6. 第二代如何看待父母或祖父母的得救經歷？驚訝且羨慕，或是視之為神話故事？
7. 因為父母愛神，神就賜福於子女，蒙福的子女就是敬愛神的父母之福。那我們要怎樣做才算愛神？「使子女得福」能成為我們愛神的動力嗎？我們究竟愛神多些？還是愛神所賜的產業（兒女）多一些？
8. 如果你是第一代基督徒，那麼你如何與自己的配偶持守自己所信的？讓你們美麗的起點成為永恆的祝福，並世世代代無窮盡。

●團體動力（10分鐘）

這一小組的組成，是因為我們願意研讀本書，學習如何教養敬虔的子女。在這小組的第一次聚集，讓我們花一些時間來討論，這一小組的目標是什麼，小組成員想從中得到的又是什麼，並建立彼此的互信的關係。

●代禱扶持（5分鐘）

1. 為彼此的家庭禱告，願我們都能成為敬畏神、事奉神的家庭，特別為彼此的困難和事奉瓶頸禱告；為著每個家能成為祭壇，全家在一起讀經、唱詩、禱告。
2. 為我們能委身於這個小組，一同學習一同堅持，不懈地彼此鼓勵。

2 教養的立場與原則

「至於我和我家，我們必定事奉耶和華」——這是信主父親或母親必須肩負的責任。愛主是個人的決定，但全家敬拜神、參與教會的服事，乃是應當的事。

●彼此分享（10分鐘）

父母常常喜歡拿孩子們來互相比較；但是，我的每一個孩子有什麼獨特的地方，哪一些是來自爸媽的遺傳？他們這些特質如何影響他們的靈命？讓我們為著他們的獨特、與眾不同而感恩。

●誠心禱告（5分鐘）

「又願主叫你們彼此相愛的心，並愛眾人的心都能增長、充足，如同我們愛你們一樣；好使你們當我們主耶穌同他眾聖徒來的時候，在我們父神面前，心裡堅固，成為聖潔，無可責備。」（帖撒羅尼迦前書3章12-13節）

我們都是聖徒，這個聚會及研讀討論本書的目的是「用相愛的心來堅固彼此」。

●聖經原則（10分鐘）

參考本週閱讀內容，作重點提示。

●相互討論（20分鐘）

1. 當夫妻二人的信心出現差異，或是孩子已經長大有了自己的想法，要開始推動全家信主和全家服事是否太遲？我該怎麼辦？
2. 「要敬畏耶和華，誠心實意地事奉他」意思為何？神的這一道命令在當代教會中該如何解釋？誠心實意地事奉的意思又是什麼？如果是沒有報酬和掌聲的服事，我們還仍然願意服事神嗎？請舉幾個例子。
3. 在我的教會中，是否有一些家庭是全家一起服事主的，請舉一兩個例子。並且思想他們一家如何一起來服事，有哪些可以效法的？
4. 一家人如何一起來服事神？特別是孩子都在不同年齡層時，他們又可以做什麼？有些人說，每一家中都可能會有比較叛逆及與衆不同的孩子，他們對信仰不熱衷。身為父母的，除了為他們禱告之外，還能做什麼？
5. 一起服事神意思就是要在家中高舉神的名，但實際上又該怎麼做？我是否有屬靈的權柄？帶領孩子讀經禱告的感覺是什麼？是否在家人與孩子面前承認自己軟弱的時候感到困窘？

6. 每個孩子都不同，有些對教會活動積極參與，以至忽略家庭和功課；有些則對教會或信仰不置可否，或激烈抗拒。分享一下我們家的孩子是屬於哪一類的，我們又是怎麼處理的？

7. 我認為全家事奉最大的困難何在？我怎樣定義「事奉」？我會鼓勵自己的孩子去做怎樣的服事？我們認為完成社會責任和課業責任，也成為對神的服事嗎？

●團體動力（10分鐘）

身為基督徒父母，如何教養可以被神使用的敬虔第二代？哪一些是我們可以參與的？一個家庭能從何處開始服事？建議：週末一起清理教堂，從而加強彼此的凝聚力。

●代禱扶持（5分鐘）

「你們雖然不好，尚且知道拿好東西給兒女，何況你們在天上的父，豈不更把好東西給求他的人嗎？」（馬太福音7章11節）

當我們聚集一起彼此分享互相鼓勵，讓我們也能向組員們坦誠自己的「問題」，好讓大家能更有效地為我們代禱。

3 屬靈單親的教養隱憂

屬靈單親基督徒在履行親職上，的確面臨許許多多的困難。但是，神的話安慰支持我們，我們相信神的應許，我們的保護及眷顧從祂而來，神必要使用我們的孩子。

●彼此分享（10分鐘）

也許不是每一個人都覺得自己的婚姻是最完美的；然而，讓我們在婚姻與家庭的生活，試著找出至少三件感恩的事情。

●誠心禱告（5分鐘）

讓我們將心中所掛慮的一切，特別是孩子的未來，藉著禱告祈求和感謝交托給神，神深知我們的心懷意念。

●聖經原則（10分鐘）

「應當一無掛慮，只要凡事藉著禱告、祈求，和感謝，將你們所要的告訴神。神所賜、出人意外的平安必在基督耶

穌裡保守你們的心懷意念。」（腓立比書4章6-7節）

●相互討論（20分鐘）

1. 許多單親父母心裡還有許多傷害的陰影，需要一段時間的療傷。特別是已經離婚或者是遭遇婚變的，往往有許多的創傷，對於自我價值與自我形象的評價可能因此而偏低；我們必須學習原諒對方，最重要的是先原諒自己，因為神已經赦免我們一切的過犯。該如何克服無法原諒自己或對方？我們是否也願意在屬靈方面，勇於承擔起教養敬虔後裔的責任？
2. 屬靈單親如何找到屬靈上的餵養？如何在忙碌生活與挫折中，回到神面前平靜安穩歸回安息？又該如何拋去負面的形象，並接受自己？如何調整自己的心態，不把孩子視為包袱與累贅，並為著神所賜的孩子獻上感恩？
3. 屬靈單親如何在教養敬虔後裔的時候，獲得喜樂與幫助？屬靈單親已經自顧不暇了，還需要花時間在教會中參與服事嗎？
4. 孩子常對父母提出有理或無理的要求，甚至要求屬靈單親不要去教會，或者裝病、說服父母別去教會。在關心孩子的需要與滿足自己屬靈的需要上，我們該如何取得平衡？
5. 教會如何幫助屬靈單親教養敬虔的後裔呢？華人教會如何幫助第二代？當我們在思考這問題時，會有那些困難？又怎樣來面對及克服？

6.屬靈單親在教會的服事不被配偶和孩子諒解。他們該怎麼做？教會和信徒們該如何幫助？

7.聖經中常提及要特別照顧孤兒寡婦，今日教會在這方面有什麼責任？屬靈單親如何從神、教會、服事支取力量和幫助？

●團體動力（10分鐘）

在未來一兩週的聚會中，邀請牧師或者是教會的領導者，參與小組或者是主日學，讓他們知道我們願意彼此勉勵來關心孩子的靈命。

●代禱扶持（5分鐘）

求神使教會和弟兄姊妹，更主動和有效的藉讀經、禱告、靈修和團契，幫助單親父母堅立對神的信心。

4 新世代的父親

父親與孩子的溝通是沒有任何人或金錢能取代的。一個身心靈健康的父親是女兒成長及一生的最大祝福。她們對男人及先生的形像與期望，都是以自己的父親為標準。

●彼此分享（10分鐘）

為孩子的健康感恩。往往我們都認為自己的孩子平凡，沒有特殊表現。每一位孩子都有他們的恩賜與才華，讓我們為孩子們的天賦與恩賜來感恩。

●誠心禱告（5分鐘）

「弟兄們，若有人偶然被過犯所勝，你們屬靈的人就當用溫柔的心把他挽回過來；又當自己小心，恐怕也被引誘。你們各人的重擔要互相擔當，如此，就完全了基督的律法。」（加6:1-2）

個人的重擔要互相擔當，每一個人都有失敗與軟弱的地方。教會是神的肢體，弟兄姊妹要彼此來擔當，這是神的教導。也讓我們學習不「自掃門前雪」，在彼此分享分擔時，除了禱告之外，也能彼此支援。

●聖經原則(10分鐘)

參考本週閱讀內容，作重點提示。

●相互討論(20分鐘)

1. 如果父親未信主或者在靈命上比較軟弱，孩子的屬靈教育該如何進行？身為母親的該如何帶領孩子靈命成長？教會又如何來參與協助？
2. 我是否曾經與孩子討論過家庭中的父親角色，詢問孩子心中期望的父親角色是什麼？許多家庭或許沒有類似的經驗，因為一般家庭都習慣於單向的上對下教導與指示，而未嘗試過雙向與孩子面對面的溝通。
3. 「人非聖賢，孰能無過」，父母也有犯錯的時候，我們都會教導孩子做錯事就必須道歉，那麼身為父母的我們是否也會向孩子道歉？
4. 我與孩子的關係如何——我在孩子心目中是怎樣的父母？我與孩子有雙向的溝通嗎？在孩子心中，父親的形象多是嚴厲、不易親近談心的，母親如何幫助父親除掉嚴厲父親的形象？
5. 如何成為敬虔的父親？我所閱讀的雜誌、觀看的電視節目內容透露給孩子的是什麼？是否能夠表達自己是一個真正敬虔愛主的基督徒？而不只是一個星期天聚會的基督徒。

6.*「你們作兒女的，要凡事聽從父母，因為這是主所喜悅的。你們作父親的，不要惹兒女的氣，恐怕他們失了志氣。」(歌羅西書3章20-21節)*什麼事會使孩子失了志氣？如果孩子失了志氣，身為父母的如何幫助他們來改正？

7.*「尊重你的兒子，過於尊重我。」(撒母耳記上2章29節)*這是神嚴厲的控告。父母親如何避免尊重孩子過於尊重神？

8.我有沒有經歷過：作母親的常常堅持一些教育方式，而做父親的因與妻子做法不同，而被妻子責備甚至起衝突，索性讓妻子全權負責孩子的一切。這該如何處理？把孩子完全交給母親，會有什麼結果？

●團體行動(10分鐘)

在未來一個月內，計劃與孩子共享一次特別晚餐。由孩子來規劃設計菜單，或由他們負責烹調。同時也可以邀請他們的朋友參與，可以在某位弟兄姊妹的家或是在教會中舉行。

●代禱扶持(5分鐘)

「你們奉我的名無論求什麼，我必成就，叫父因兒子得榮耀。你們若奉我的名求什麼，我必成就。」(約翰福音14章13-14節)

5

成為孩子的守望者

父母不能強迫孩子成為聖潔，每一代都需負上自己屬靈的責任；但父母親要常常提醒下一代，聖經清楚教導這是父母的責任。

●彼此分享（10分鐘）

每一位孩子都有特別值得稱讚的品德，比如具有同情心、勇氣、友善、樂於關懷等等，我們常會忘記這些事。孩子有好的品格，卻是值得我們向神獻上感恩的。

●誠心禱告（5分鐘）

在小組中我們彼此擔當別人的重擔，也透過小組的學習，對神的話語更認識，使得我能從軟弱中堅強起來，並叫鄰舍喜悅得到好處。這不就是我們聚集在這裡的目的嗎？

●聖經原則（10分鐘）

「我們堅固的人應該擔代不堅固人的軟弱，不求自己的喜悅。我們各人務要叫鄰舍喜悅，使他得益處，建立德行。」（羅馬書15章1–2節）

●相互討論（20分鐘）

1. 我們省吃儉用把最好的留給孩子，但是我們都知道孩子在物質上富足，反而會影響他們靈命的成長，兩者之間如何取得平衡？
2. 除了與孩子一起讀經禱告外，是否還應有其他的活動，可以讓我們與孩子分享信仰？我們如何開始這樣的行動？
3. 孩子們遠離神或者是對教會沒有興趣時，父母親怎麼辦？可以在哪找到幫助？
4. 在為孩子所做的事情中，你們認為做得最好的是什麼？對他們最重要的是什麼？
5. 該不該讓孩子知道我們為他們的靈命憂心，他們覺得被關心還是覺得不被信任？
6. 如何讓他們瞭解我們的心思——把神放在首位？

●團體動力（10分鐘）

將孩子的照片帶來，每一位成員花一點時間介紹這張照片，拍攝的背景，當時所發生的事情，神在這過程中的保守與憐憫。

●代禱扶持(5分鐘)

主日學/小組成員己經聚集一個月了，讓我們有更深入的關心及代禱。

6 神所賜的產業與祝福

子女是神賜給父母親的祝福。而一個愛主的家庭，父母也成為兒女的祝福。當我們愛祂、服事祂、守祂的誡命，神所賜的祝福不但是在我們身上，也直到多代。

●彼此分享(10分鐘)

父母常常覺得孩子令人頭痛煩惱，在孩子小時還覺得他們很可愛，但等他們大了一點，雖然懂事理解，往後卻帶來更多的煩惱。有人說，世界上最不自私的一件事，就是一對夫妻願意生育養育子女。讓我們來思考，孩子為我們帶來了什麼喜樂？我們必定也從孩子身上得到許多，為此來感恩。

●誠心禱告(5分鐘)

小組聚集的目的，不是用來誇耀孩子的長處，更不是為人父母的本事，而是彼此靠著主耶穌基督，用愛心說誠實話，彼此都有長進，共同學習，同得造就。

●聖經原則（10分鐘）

「惟用愛心說誠實話，凡事長進，連於元首基督，全身都靠他聯絡得合式，百節各按各職，照著各體的功用彼此相助，便叫身體漸漸增長，在愛中建立自己。」（以弗所書4章15-16節）

●相互討論（20分鐘）

1. 聖經中記載許多神對敬虔愛主者的祝福。

「…敬畏耶和華，甚喜愛他命令的，這人便為有福！他的後裔在世必強盛；正直人的後代必要蒙福。」（詩篇112篇1-2節）

現今的世代，對所謂的強盛和蒙福所下的定義是什麼？是否純粹指上好學校，富裕，覓得良職。除此之外，我們還會想到些什麼？

2. 我能想到或認識一些神所祝福的世家嗎（例：強納森．安德華滋——載於第一章）？他們有什麼特點？有那些值得我羨慕、學習的地方？

3. 所謂：「有其父必有其子」。從以下經文，我們是否正面地看到父母，如何把本身的敬虔良善等優點，傳授予第二代而成為他們的祝福。*「我從前年幼，現在年老，卻未見過義人被棄，也未見過他的後裔討飯。他終日恩待人，借給人；他的後裔也蒙福！」（詩篇37篇25-26節）*

4. *「誰敬畏耶和華，耶和華必指示他當選擇的道路。他必安*

*然居住；他的後裔必承受地土。」（詩篇25篇12-13節）*這應許如何實踐於現代敬虔的父母和他們的子女身上？我是否相信我對神的愛確實會對我的下一代、和他們生活各方面造成正面影響？

5. *「子孫為老人的冠冕；父親是兒女的榮耀。」（箴言17章6節）*我是否以父母為光榮呢？在三代的關係中，我是否盡了所有的本份，製造機會來讓孩子們與祖父母有更好的關係？
6. 我們的孩子真的屬於我們嗎？我們養孩子是為了養老嗎？
7. *「老年人哪，當聽我的話；國中的居民哪，都要側耳而聽。在你們的日子，或你們列祖的日子，曾有這樣的事嗎？你們要將這事傳與子，子傳與孫，孫傳與後代。」*（約珥書一章2-3節），這句經文教導我們年長的要向下一代訴說神奇妙的作為。今天三四代同堂的家庭已不多見，祖父母或長輩如何負起在屬靈傳承上的責任？我們要如何鼓勵年長的、信主多年的父母，成為孫兒信仰上的幫助者？

●團體動力（10分鐘）

彼此分享，平均一天與孩子相處的時間有多少？當與他們相處時，有哪些特別甘甜之處？如何增加與孩子相處的機會？

●代禱扶持（5分鐘）

「耶和華啊，求你留心聽我的言語，顧念我的心思！我的王我的神啊，求你垂聽我呼求的聲音！因為我向你祈禱。」（詩篇5篇1-2節）

7 第二代流失的大禍首

對孩子的靈命而言，家庭與教會都有極重要的影響。教會要有實際的目標導向、有意義的第二代事工計劃，而不只是「褓母事工」而已。

●彼此分享（10分鐘）

為孩子禱告，不論他們在那一年齡階段，為著他們的成長感恩。求主讓我們能夠看見當他們在二十、二十五、三十等年歲時，神將怎樣使用他們來服事神。

●誠心禱告（5分鐘）

「一個人若有一百隻羊，一隻走迷了路，你們的意思如何？他豈不撇下這九十九隻，往山裡去找那隻迷路的羊嗎？若是找著了，我實在告訴你們，他為這一隻羊歡喜，比為那沒有迷路的九十九隻歡喜還大呢！你們在天上的父也是這樣，不願意這小子裡失喪一個。」（馬太福音18章12-14節）

天父不願意一隻羊走迷。每一家中或多或少會有比較叛逆的孩子，求神幫助我們不要放棄他們。當我們回到神面前交賬時，不致感到虧欠、或有失神所託付，讓我們堅持為有需要的家人持續禱告。

●聖經原則（10分鐘）

參考本週閱讀內容，作重點提示。

●相互討論（20分鐘）

1. 我現在已經清楚，主耶穌多麼重視孩童與青少年這一代的需要，這是否鼓勵我更多參與教會的第二代事工？許多教會最大的問題是，連父母都不願意參與教會的服事。教會找不到人的原因是什麼？
2. 在我的教會中，孩童、青少年佔全體會眾比率多少？他們的需要是什麼？教會的預算、人力資源、牧師或參與同工的分配，投入青少年事工的比例，是否與第二代人數成正比？
3. 對於第二代的流失，父母有何責任？父母如何更積極的參與教會第二代事工，並更主動的指引目標與方向？
4. 我們的第二代有沒有「教會是我的教會，神是我的神」的觀念？怎樣培養這種認同感？
5. 當社會主流文化與信仰的衝突越來越強烈時，如何幫助第二代面對這些矛盾和衝擊？

6. 若成年人到教會幾次後就不出現了，教會必定做跟進、探訪。但如果青年人、孩童流失了，是不是也有人去關心？

7. 教會現有的環境和「文化」，能不能讓年輕一代信徒產生歸屬感？有何可改善之處？我的教會是不是能吸引年輕人進來？有什麼辦法使教會對青少年有吸引力，讓他們願意留在教會裡？

●團體動力(10分鐘)

我們認識孩子的主日學老師嗎？我們曾否表示感謝？讓我們計劃送一份小禮物表達謝意，也讓孩子向他們的主日學老師表達感謝。

與孩子分享好的父母標準是什麼？如果孩子年紀尚幼，也讓他們說說，怎樣才是心目中的好爸爸、好媽媽？

●代禱扶持(5分鐘)

●彼此代禱(5分鐘)

組員相聚將要兩個月了，求聖靈繼續作成美好的事工，感動我們心所愛的家人，改變我的生命，改造孩子的一生。

8 第二代服事的傳承

鼓勵孩子從小服事神，父母需要有願意委身奉獻的心志。提醒孩子「服事」，不是一份「差事」；更要提醒，在神的眼中他們所做每一件事都是重要的。

●彼此分享（10分鐘）

為我的家獻上感恩，或許不是最完美的。應該說沒有一個家會是最完美的，但我們願意為神教養，可以被神用的第二代，為這樣的心志來感恩，至少我們有這樣的心志。

●誠心禱告（5分鐘）

耶和華對摩西說：「嫩的兒子約書亞是心中有聖靈的；你將他領來，按手在他頭上，使他站在祭司以利亞撒和全會眾面前，囑咐他，又將你的尊榮給他幾分，使以色列全會眾都聽從他。」（民數記27章18–20節）

願主幫助我們如摩西一樣，知道如何提拔、鼓勵、重用第二代！

●聖經原則（10分鐘）

參考本週閱讀內容，作重點提示。

●相互討論（20分鐘）

1. 我們常強調基督徒在生活上榮耀神也算是服事，那麼在教會服事，是否就不那麼重要呢？
2. 我們養育孩子，常禱告求神保護賜福於他們，終極目的是什麼？
3. 就我的觀察，第二代如何開始在教會中服事？從成人的角度來看，是否有那些因素攔阻他們出來服事？教會有那些地方需要調整，以致第二代可以開始服事？
4. 我的孩子在教會可以參與那些服事？孩子需要好榜樣，如果父母沒有參與服事，他們沒有榜樣也沒有鼓勵，我們需要那些提醒或技巧來幫助孩子參與？
5. 我是否曾在神面前立下誓約將孩子獻給神用？我是否告訴孩子，我己經立下這樣的誓約？我怎樣肯定他們屬於神、為神來使用？怎樣幫助他們常常記得這個事實？
6. 我的教會是否有嬰兒或孩童的奉獻禮？如果沒有，父母該如何來表達對第二代靈命成長的關心與委身？

●團體動力（10分鐘）

我是否已經參與教會的服事？如果沒有，我可以如何參與？花一段時間討論，如何教導孩子有關性的觀念與知識，孩子們從電視網路接觸了許多資訊，對於性的認識與瞭解也比我們更懂，讓我們來聽聽孩子對於男女交友中的身體接觸、性行為等的看法。

●代禱扶持（5分鐘）

「你們禱告，不可像外邦人，用許多重複話，他們以為話多了必蒙垂聽。你們不可效法他們；因為你們沒有祈求以先，你們所需用的，你們的父早已知道了。」（馬太福音6章7-8節）。求聖靈賜下印證及信心，把孩子的一生交托給主，一生為祂所用。

9 跨越跟隨主的障礙

聖經的孝道是孝順或孝敬？華人基督徒父母希望自己的孩子愛主，卻不希望孩子太過愛主。父母擔心孩子靈命的問題，更擔心孩子將一生獻給主。

●彼此分享（10分鐘）

孩子會跌倒，身為父母的，我們也會跌倒。為著神已經赦免了父母過去的失敗來感恩，也為著自己能夠體會神赦免的心，看見孩子在失敗中能學習感恩。

●誠心禱告（5分鐘）

「亞伯拉罕因著信，被試驗的時候，就把以撒獻上；這便是那歡喜領受應許的，將自己獨生的兒子獻上。論到這兒子，曾有話說：『從以撒生的才要稱為你的後裔。』」（希伯來書11章17–18節）

●聖經原則(10分鐘)

這一段經文提醒我們，亞伯拉罕愛神遠超過神所賜的兒子以撒。但願身為父母的我們，除了愛孩子，更加要愛那賜下孩子的神。

●相互討論(20分鐘)

1.箴言20章11節：*「孩童的動作是清潔，是正直，都顯明他的本性。」*這一段聖經的教導是，小孩子的奉獻心是大人當學習的。趁著第二代還沒有被「污染」之前，教會應重視他們願意服事的心態。如果孩子願意服事，身為父母該如何鼓勵他們，使他們願意服事的心不改變？甚至當神呼召他們全職事奉時？

2.保羅提醒提摩太*「不可叫人小看你年輕，總要在言語、行為、愛心、信心、清潔上，都作信徒的榜樣。」(提前4:12)*在這裏的提醒是：成年人需要謙卑，不要認為年輕的第二代不夠成熟，僅有愛心和信心，沒有任何其他可以學習之處。兩代之間應互相學習，相互成為榜樣。如果教會中青年人有宣教負擔，或是去唸神學，我的教會是否支持？或者認為，因為考不進一般好學校，所以他們才做這樣的選擇？當我聽到別人的孩子要全時間服事時，我的想法又是什麼？

3.如果我的孩子願意服事主，我會有什麼反應？以此自豪，感謝主，知道他已經揀選上好的福分？我所擔心與掛慮的又是什麼？

4. 當教會青年人更加愛主、願意被主使用，他們是否能感受到教會的支持？我的教會對全時間服事者的態度是什麼？特別去獎勵他呢？還是安排他多服事？
5. 一位被上司譽為「我所見過最好的工程師」的弟兄曾如此說：「我一直求神呼召我全職事奉祂，但祂始終清楚要我在崗位上服事。我如今在崗位上加倍努力服事，領人歸主。但心裡仍羨慕『傳道』這特別的福份，並格外尊敬傳道人。」今天我們和我們的孩子，有沒有同樣的觀念，認為全職事奉的呼召是可羨慕、值得追求的特別福氣？我怎麼看待神的呼召？
6. 我們是否「看重屬神的事，認真看待神的選召」？教會及父母該給予怎樣的教導？
7. 我認為應該為孩子作好怎樣的預備？預備讓他們不必吃苦，還是預備他們有能力吃苦？你樂意看見孩子嬌生慣養或預備「為神行各樣善事」？為什麼？

●團體動力(10分鐘)

記下孩子各項活動比賽的時間，盡可能去參加孩子的活動，如球隊練習、比賽、學校聚會等等。雖然我們很難參加所有的活動，但盡量排開事務，參與孩子的生活。如果不能到場，活動結束後，別忘了再詢問孩子們當日活動的情況，這表示我們對他們的看重。

陪孩子們玩遊戲。每個孩子都有自己的特殊興趣，或者是陪孩子們做他們喜歡做的事情，不論是籃球、跳棋、看卡通、辦家家酒、或者只是在家看電視、電影都好。

●代禱扶持（5分鐘）

「祂對我說：『我的恩典夠你用，因為我的能力是在人的軟弱上顯得完全。』所以，我更喜歡誇自己的軟弱，好叫基督的能力覆庇我。我為基督的緣故，就以軟弱、凌辱、急難、逼迫、困苦為可喜樂的；因我什麼時候軟弱，什麼時候就剛強了！」（哥林多後書12章9-10節）

10 準備好回答孩子的問題

父母必須預備好回答第二代，信仰是什麼？實踐的好處是什麼？我們對神的信心與委身的原因又是什麼？神為我們成就了什麼？

●彼此分享（10分鐘）

為著神在我們生命中所做的改變、所施行的拯救、甚至是夫妻的認識過程等等，都在神面前獻上感恩。

●誠心禱告（5分鐘）

「信心軟弱的，你們要接納，但不要辯論所疑惑的事。」（羅馬書4章1節）

讓我們接納彼此信心大小的不同。在許多事情上，往往我的家庭不認為有什麼難處，其他家庭卻認為有許多的限制。讓我們不要只以自己的標準來看待別人，而是能彼此接納彼此成全。

●聖經原則(10分鐘)

參考本週閱讀內容，作重點提示。

●相互討論(20分鐘)

1. 我家的孩子知道我如何信主嗎？提醒他們以認真的態度來信主與愛主，這是我們的責任。如果不告訴孩子我們為什麼如此愛主，孩子怎麼知道我們是認真的基督徒呢？有許多家庭避免與孩子討論信仰與神學的問題，但若不跟他們討論，就不知道他們的想法。我們是不是願意跟孩子們討論，聽聽看他們在信仰上與神學的問題？
2. 我們家中慶祝哪些基督教的節慶？是否有特別的傳統習慣？譬如全家一起裝飾聖誕樹、一起聚餐等。在慶祝感恩節、聖誕節、復活節、甚至是母親節、生日等重要節日的同時，我們家中是否可以透過慶祝的方式來機會教育，向孩子們講述神的作為、在衆人面前做見證？如果沒有，是不是可以從今年開始試著做？
3. 我在教會中有參與服事嗎？我的家人是否瞭解，為什麼我要服事，並且願意在時間、物質與金錢上，都願意認真擺上奉獻呢？
4. 家中是否有特別的相片、紀念品等等，成為屬靈經歷的見證品，可以用來向孩子們訴說，神在我的生命中所做的一切改變？
5. 我們都很習慣在教會中與別人分享見證，但是如果要與家人分享，就覺得很不自在、很尷尬，為什麼會如此？與孩子們講述神的作為，這是屬於父母的責任，我們是不是要從現在就開始練習與孩子們分享？若你從未和家人及子女談論信仰問題？你們認為可以怎樣開始？

6. 我們必須不斷地講述自己生命中的改變，講述神在我們身上的奇妙作為。若不是如此，常常在安樂的生活中忘了神。這影響的不只是我們而已，因為如果我們不與自己的孩子分享神，孩子們也很難想像聖經所說，我們的神是又真又活的神到底是怎麼一回事。我是否有可以與孩子們分享關於神作為的美好見證？我是否能夠想起在過去一年內，至少三件神在我生命中與家中的奇妙作為，我是否真實地經歷過神？

●團體動力(10分鐘)

每一個人都有失敗與犯錯的時候。在過去一週與孩子相處時，是否曾經錯怪他們？應該向他們道歉，請求他們原諒。

●代禱扶持(5分鐘)

「…若是你們中間有兩個人在地上同心合意的求什麼事，我在天上的父必為他們成全。因為無論在那裡，有兩三個人奉我的名聚會，那裡就有我在他們中間。」(馬太福音18章19–20節)

11

為孩子的婚姻立界限

神的祝福延續到後代，我們需要堅持尋求共同信仰及信心的配偶。孩子也要明白知道，神會為他預備最好的另一伴。

●彼此分享(10分鐘)

為孩子已經成長到開始對異性產生興趣的年紀來感恩。

●誠心禱告(5分鐘)

「你們既因順從真理，潔淨了自己的心，以致愛弟兄沒有虛假，就當從心裡彼此切實相愛。」(彼得前書1章22節)

●聖經原則(10分鐘)

盼望藉由今天的討論，我們都有更多的學習。彼此有潔淨的心，在主裡切實地相愛，彼此關心與幫補。

●相互討論(20分鐘)

1. 配偶的選擇是我們一生重大的抉擇，必須小心謹慎。華人說結婚是終生大事，對基督徒來說也是一生最大的事。*「得著賢妻的是得著好處，也是蒙了耶和華的恩惠」(箴言18章22節)*。在家與教會中，我們如何從孩子年幼時就教導他們這觀念？
2. 一個美滿的婚姻是神的祝福。我們知道婚姻是神所設立的，聖經中神也多次講到，賢慧的妻子是神所賜的祝福。箴言中更是描寫的更貼切，婚姻被視為一個神聖的設立，*「賢德的妻乃耶和華所賜。房屋錢財，是祖宗所遺留的；唯有賢慧的妻，是耶和華所賜的。」(箴言19章14節)*。
   我的婚姻生活如何?禱告是否改變我的婚姻生活?我們如何教導年輕孩子「美滿的婚姻是神的祝福」？
3. 當我們在選擇配偶的時候不只是看外貌，聖經中重視的是品格與品德。從亞伯拉罕為以撒選妻子的標準來看(創世記24章)，他看重的是年輕女子的品格：有沒有願意服事、款待客人與陌生人的美德。
4. 對戀愛和婚姻有憧憬是人之常情，但要在這美麗的事上背負對神的責任，豈非太不浪漫？根據聖經的原則，在選擇配偶與婚姻時要注意的是什麼？
5. 教會的年輕人是否已經清楚知道，關於交友、約會、婚前性行為等問題聖經的教導是什麼？我的教會是否有機會安排公開的聚會與年輕人分享這樣的觀念？身為父母的我，是否曾經與孩子們討論這樣的話題？

6. 過去婚姻必須有父母之命、媒妁之言，其中的意義其實包含父母對子女婚姻的責任。今日人們崇尚戀愛自由，父母於子女的婚姻扮演了什麼角色？孩子在什麼年紀適合接受教導在感情和婚姻上追求神所賜的福？
7. 今天很多適婚基督徒深知信與不信不能同負一軛，但卻苦於在教會裡找不到對象，因此或守獨身，或放棄信念向外發展。在要求孩子們選擇信仰相同的伴侶時，父母和教會有沒有責任為他們預備各樣接觸主內對象的機會和管道？

●團體動力（10分鐘）

教導孩子最大的禁忌是，在別人面前責罵自己的孩子；更不可以在孩子的朋友面前教訓他們。讓我們彼此提醒，有哪些事情是可做和不可做的。

設計安排一系列輕鬆的座談會，與孩子談談交友、約會、戀愛、男女間的親密度、婚前性行為的原則。

●代禱扶持（5分鐘）

「眾子啊，現在要聽從我，因為謹守我道的，便為有福。要聽教訓就得智慧，不可棄絕。聽從我、日日在我門口仰望、在我門框旁邊等候的，那人便為有福。因為尋得我的，就尋得生命，也必蒙耶和華的恩惠。」（箴言8章32–35節）

12 走出信仰的溫室

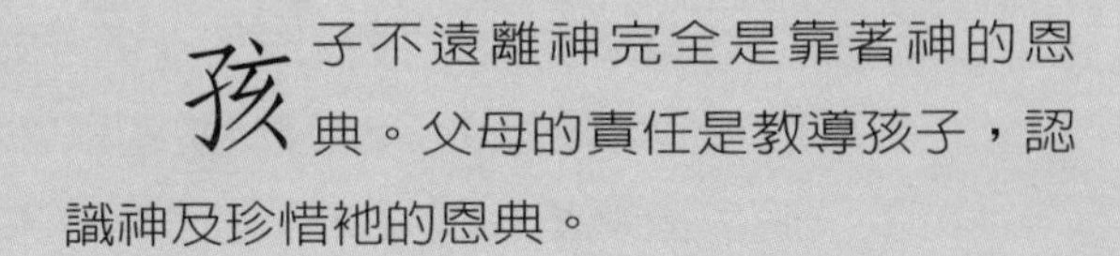
孩子不遠離神完全是靠著神的恩典。父母的責任是教導孩子，認識神及珍惜祂的恩典。

●彼此分享（10分鐘）

為著孩子的一切來感恩，除了外顯的良好的學習能力與成績表現，也為著孩子盡自己最大的能力來表現、在同儕間有美好的相處，來向神獻上讚美。

●誠心禱告（5分鐘）

「我實在告訴你們，你們若不回轉，變成小孩子的樣式，斷不得進天國。所以，凡自己謙卑像這小孩子的，他在天國裡就是最大的。凡為我的名接待一個像這小孩子的，就是接待我。」（馬太福音18章3–5節）

●聖經原則（10分鐘）

一起來學習主耶穌所教導的，像孩子

一樣謙卑。同時，如果耶穌把孩子視為事工中重要的一環，我們是否也把第二代事工看為至關重要呢？

●相互討論（20分鐘）

1. 孩子從踏入幼兒園開始，朋友的地位和影響就開始逐日加重，最終或許還會取代父母的地位和影響力。你的孩子易於交友嗎？你怎麼教他？我們提到華人父母有個毛病，即忽略友誼對孩子成長過程的重要性。我們要怎樣幫我們的孩子找到對神敬虔的朋友呢？
2. 如何跟孩子談性操守？我們的教會或我們自己曾跟他們談論過貞潔自守、對婚前性行為的看法嗎？要如何避免試探？怎樣讓孩子敞開地跟我們談論性、罪和試探？我們的態度和家裡的環境氣氛合適嗎？
3. 孩子們在追求聖潔的過程中可能面對那些壓力？會不會被同儕視為怪人而被大家嗤笑？怎樣幫助他們克服？為這個見證必定要付極大的代價。我們必須教導孩子，拒絕妥協的堅持會獲得神的賜福，祂也使人們喜歡並尊敬他們。
4. 我們的成敗觀是什麼？我們怎樣衡量成功？是看賺多少錢？是住大房子？有可敬的專業？如果我的孩子都沒有這些，我怎樣看他們是成功、還是失敗？他們怎樣看自己？我們灌輸孩子怎樣的成敗觀？
5. 與孩子談談，在面對媒體、廣告試圖挑戰改變他們的價值觀時所承受的壓力？

6.孩子離開父母後，將會面對哪些屬靈絆腳石和屬靈危機？自由解放和新環境帶來的興奮和孤單，可能對他們的靈命產生什麼沖擊？

7.在教育孩子的過程中，哪些是我們最重視的？我們傳遞給孩子什麼信念和怎樣的價值觀？聖經說「教導孩子使他們到老也不偏離」。父母應教導孩子什麼，怎樣教？

●團體動力(10分鐘)

邀請幾位大學生來與年輕的孩子們分享，他們如何在大學中參與團契並持守信仰。也可以邀請宣教士，分享他們何時決定要全時間奉獻給主。

●代禱扶持(5分鐘)

「…萬軍之耶和華說：不是倚靠勢力，不是倚靠才能，乃是倚靠我的靈方能成事。」（撒4:6）

「那信奉虛無之神的人，離棄憐愛他們的主；但我必用感謝的聲音獻祭與你。我所許的願，我必償還。救恩出於耶和華。」（約拿書2章8-9節）

13

豈可緘默不言

這是一個以自我為中心，缺少使命感的時代。為何我們必須考慮犧牲我們的時間、權力、金錢、事業來給神使用？基督徒父母親又如何幫助我們的下一代被神使用？

●彼此分享（10分鐘）

為著本書的學習來感恩，也為著在自己與孩子的生命中，所看見的改變來感恩。

●誠心禱告（5分鐘）

「凡到我這裡來，聽見我的話就去行的，我要告訴你們他像什麼人：他像一個人蓋房子，深深的挖地，把根基安在磐石上；到發大水的時候，水沖那房子，房子總不能搖動，因為根基立在磐石上（有古卷：因為蓋造得好）。惟有聽見不去行的，就像一個人在土地上蓋房子，沒有根基；水一沖，隨即倒塌了，並且那房子壞

的很大。」（路加福音6章47–49節）

●聖經原則（10分鐘）

盼望因為我們關心孩子的信仰，以致他們信仰的根基可以建立在磐石上，永遠不致動搖。

●相互討論（20分鐘）

1. 試想，如果我是尼希米、以斯拉或以斯帖的父母親，對於自己的孩子會有什麼想法呢？他們的父母如何在異國培養出敬虔願意為主委身的孩子？特別是尼希米與以斯拉，為什麼有這樣的熱忱？當時的波斯離耶路撒冷幾千里遠，他們從來沒有去過耶路撒冷，是什麼原因讓他們願意放棄原本的工作，甚至擺上他們的性命？是無心插柳或是刻意培養的呢？
2. 教養子女成功的定義是什麼？中國人用什麼標準來衡量？聖經的標準又是什麼？
3. 我們是否真的認為，以神的標準來教養子女是最重要的？如果不是，那關於培養敬虔後裔的一切屬靈教導，是否都只是紙上談兵？
4. 如果現在才認識到教養子女敬虔的責任，是否太晚了？我們該怎麼做？當孩子還在強褓中就教導他們，會不會太早了？等孩子上大學後才開始，又會不會太遲？
5. 我們該如何教養孩子對服事有負擔，對宣教有使命感？我是否曾考慮過，願意他們全時間服事主，放棄一般人所羨慕不錯的收入和一定的成就，來跟從主？

6. 含辛茹苦地把子女拉拔大，一個個都奉獻去了，年老力衰時，怎麼辦？如果孩子被呼召要離鄉背井去服事神，你會怎麼反應？
7. 為什麼尼希米等人有這麼強烈的民族感，以及對神和百姓的使命感？
8. 我們華人的民族意識一代不如一代，你認為猶太人如尼希米、以斯拉和以斯帖以神為中心的民族意識是與生俱來的嗎？
9. 身為華人基督徒，也許我們的民族意識本來就不強，但對「基督是主」的意識呢？
10. 無可否認我們都非常重視孩子的教育；但我對孩子的教育重心是什麼？我認為教育的責任和目的是智能性、技能性、職能性？還是全人（身心靈）歸主？
11. 若由我來決定孩子的職業，十大志願我會怎麼填？全職傳道或宣教士會是第幾志願？
12. 我們自己對宣教和服事有何認識和看法？如果我們對宣教和服事都沒有感動，該怎麼辦？

●團體動力（10分鐘）

邀請青少年的孩子們一起尋找合適短宣的機會，也邀請別人來分享宣教的經歷，以及如何在宣教中學習服事。

●代禱扶持（5分鐘）

「看哪，敬畏耶和華的人必要這樣蒙福！願耶和華從錫安賜福給你！願你一生一世看見耶路撒冷的好處！願你看見你兒女的兒女！願平安歸於以色列！」（詩篇128張4-6節）

●祝福

今天不是一個階段的結束，而是我的家、我的孩子、和他們的孩子蒙福的延續。讓我們讚美頌揚上帝，因為敬拜事奉祂本是我們的職分。

發行者Distributors

福音證主協會
香港九龍青山道128號3樓
電話：852-3725-8558　圖文傳真：852-2396-2304
Email：publish@ccl.org.hk　url:http://www.cc-hk.org

財團法人基督教福音證主協會
台北市松江路22號錫安大廈8樓
電話：886-2-2523-3100　圖文傳真：886-2-2563-5666
Email：Email:twcclgo@cc-tw.org　url:http://www.cc-tw.org

CHRISTIAN COMMUNICAT|ONS INC.OF USA
9600 Bellaire Blvd., Suitelll,
Houston, TX 77036, USA
Tel：713-778-1144　Fax：713-778-1180
Email：cciusalm@cc-us.org　url:http://www.cc-us.org

CHRISTIAN COMMUNICATIONS(CANADA)
7325 Woodbine Ave. Markham,
Ontario, Canada L3R 3V7
Tel：905-477-3136　Fax：905-477-9089
Email：ccc@ccinti.com　url:http://www.cc-ca.org

CCL PUDLICATIONS PTE.LTD.
7 Aemenian St., # 04-06 Bible House,
Singapore 179932
Tel：65-6339-2903 Fax：65-6339-8034
Email：ccsg@cc-sg.org　url:http://www.cc-sg.org

CCL PUBLICATIONS(M)SDN.BHD.
Unit 404-405, 4/F, Wisma Methodist,
Letter Box 17, Lorong Hang Jebat, 50150 Kuala Lumpur, West Malaysia
Tel：60-3-2031-0428　Fax：60-3-2031-6317　url:http://www.cc-my.org
Email：cclmsia@tm.net.my

知信行網址：http://www.ccfellow.org
思書店網址：http://www.ccbookshop.com